HISTOIRES À DORMIR DEHORS

À vélo de l'Angleterre à la Malaisie, à la rencontre du bon monde

Texte et photos **Jonathan B. Roy**

Éditrice : Suzanne Lareau
Éditrice déléguée : Germaine Salois
Collaborateur à l'édition : Jacques Sennéchael
Directeur artistique : Maxime Girard
Réviseure et correctrice : Diane Grégoire

Dépôt légal — Bibliothèque et Archives nationales du Québec, 2018
ISBN 978-2-924149-08-9

Catalogage avant publication de Bibliothèque et Archives nationales du Québec et Bibliothèque et Archives Canada

Roy, Jonathan B. 1985-, auteur

Histoires à dormir dehors : à vélo de l'Angleterre à la Malaisie, à la rencontre du bon monde / Jonathan B. Roy.

ISBN 978-2-924149-08-9

1. Roy, Jonathan B., 1985- - Voyages. 2. Voyages autour du monde.
3. Cyclotourisme. 4. Cyclistes - Québec (Province) - Biographies. I. Titre.

G440.R69A3 2018 910.4'1092 C2018-940864-2

À ma mère, Diane.

MON MORCEAU D'ITALIE

Quel besoin est assez puissant pour pousser un jeune homme à quitter son emploi, sa famille et ses amis, à mettre ses possessions en boîte et à partir pédaler de par le monde?

Je voyageais seul avec mon sac à dos depuis quelques années déjà, me déplaçant en train ou en autobus. Au cours de ces vacances annuelles, je ressentais une envie grandissante de découvrir ce qui se cachait entre ces destinations touristiques. D'aller cogner à la porte de ces maisons qu'on aperçoit du coin de l'œil à travers le rideau de la fenêtre d'un train. De goûter à ce que ces hommes et ces femmes préparent en bordure de la route que suit l'autobus. Je voulais tisser de vrais liens plutôt que de me faire appeler simplement *my friend* dans l'espoir que j'achète des pacotilles.

Ce sont ces personnes que j'avais envie de rencontrer. Et pour cela, il fallait que je sorte des auberges, des sentiers tracés par les guides de voyage, et que je fasse ma propre route.

L'automobile met son passager dans une cage d'acier qui le protège des éléments, mais aussi des rencontres imprévues. À l'autre bout du spectre des façons de se déplacer, la marche est propice à ces rencontres, mais comporte l'inconvénient pas banal de forcer le marcheur à tout transporter sur son dos. Entre ces deux possibilités, une troisième, logique: le vélo. Sans doute la façon la plus efficace d'utiliser son énergie pour avancer, ce système simple constitué de deux roues et d'une chaîne permet en plus de sentir le terrain et les éléments. À vélo, la vitesse est assez lente pour pouvoir rencontrer les gens sur sa route, mais assez rapide pour voir se dérouler l'horizon.

Et, belle coïncidence, je suis passionné de vélo depuis le début de mon adolescence. Ce serait donc mon moyen de transport.

Cela dit, à l'époque, je n'avais encore jamais rencontré quelqu'un qui avait réalisé un projet aussi fou. L'idée aura donc pris du temps à germer dans ma tête. Trois ans pour être précis, passant progressivement du rêve flou et inaccessible à la réalité.

*

Comme tant d'autres, ma mère rêvait d'aller en Italie depuis longtemps. Elle avait en tête ce voyage parfait qu'elle ferait avec mon père, et où la culture rencontrerait le doux soleil de la Méditerranée. Saupoudré d'un peu de parmesan, le quotidien serait alors magnifique. Mais comme tant d'autres aussi, son rêve était constamment remis à l'année suivante, en échange de projets plus concrets: repeindre la galerie arrière, asphalter l'entrée... Les années ont passé jusqu'à ce qu'un monsieur sérieux en sarrau blanc lui dise en s'excusant qu'il ne lui restait plus que trois mois à vivre.

Ma mère, Diane, a toujours été pétillante. Un petit bout de femme aux grands yeux noirs, aux caresses généreuses et aux éclats de rire contagieux. Mais avant que je ramasse assez de courage pour lui demander s'il existait un secret du bonheur, elle était devenue trop faible pour me répondre. Étendue dans son lit, émaciée, ses yeux brillants étaient tristes et presque déjà ailleurs. En réponse à ma question, elle n'a réussi qu'à lever péniblement sa main qu'elle a déposée lentement sur ma joue en me regardant tendrement. Sous cette dernière caresse, j'ai retenu difficilement mes larmes pour ne pas lui faire plus de peine. Je n'aurais pas ma réponse... Je n'aurais plus aucune réponse.

Laissant nos cœurs troués comme des éponges, celle que nous aimions tant est décédée peu de temps après.

Et mon père, tel un somnambule, s'est retrouvé à magasiner une urne au lieu de billets d'avion pour l'Europe.

Son décès a tout changé. J'ai réalisé cette vérité pourtant évidente que nous vivons tous sur du temps emprunté. S'il n'y aurait jamais de moment parfait pour réaliser mon rêve de partir à l'aventure, le meilleur moment pouvait se préparer. Avec le reste de ma famille en santé, et sans autre réelle obligation que mon emploi, je n'avais qu'à mettre de l'argent de côté et à faire mes recherches pour pouvoir prendre la route.

*

J'aurais pu planifier un voyage à vélo de quelques semaines. Mais le temps, plus que tout, est un luxe. Avoir du temps en voyage permet de modifier ses plans, ses itinéraires, de s'arrêter quand et où l'on veut. En un mot, il permet avantageusement de prendre son temps.

Et puis, j'ai 30 ans, je suis de ma génération. Depuis le berceau qu'on nous répète que nous sommes uniques, différents. « Tu peux accomplir tout ce que tu veux ! » Voilà un refrain bien intégré. Avec naïveté ou ambition, j'y ai cru et j'y crois toujours. Mon rêve a donc pris toute la place dans ma tête. Je partirais à vélo sur les routes du monde, accompagné de ma dernière caresse maternelle.

Pour vivre maintenant.

Pour voir le monde autrement.

Pour prendre mon temps.

Pour réaliser l'extraordinaire.

Et pour te ramener un morceau d'Italie, maman.

TRACER UNE LIGNE

Quand j'ai pris la décision de partir, je me suis donné une année pour me préparer. Chaque jour, je cherchais de l'information sur les choses à prévoir et notais chaque détail. J'ai vendu des meubles. J'ai remis ma démission au travail. J'ai testé mon équipement été comme hiver. Je me suis même retrouvé debout sur une patte, à alterner mes pieds gelés sous l'eau chaude d'un robinet de salle de bain dans un casse-croûte des Laurentides. J'ai noté : « Acheter couvre-chaussures imperméables. »

L'itinéraire, étonnamment, a été une partie assez facile à planifier. J'ai commencé par lire plusieurs blogues de cyclistes voyageurs, puis j'ai écrit à quelques-uns d'entre eux. J'ai finalement estimé qu'il était possible de parcourir une moyenne mensuelle de 1400 km tout en prenant le temps de visiter les lieux et de rencontrer des gens.

Je voulais partir de l'Angleterre, depuis la maison d'un proche, et je souhaitais passer par l'Asie centrale. Entre ces destinations, il suffisait de tracer une ligne en faisant des détours vers les pays qui m'attiraient le plus. Mon téléphone muni d'un GPS me servirait de boussole au quotidien, sans que je suive une route précise.

Après l'Europe de l'Ouest, je traverserais donc les Balkans, puis la Turquie. Pour ce qui est de l'Iran, il m'était fermé en raison d'un visa compliqué à obtenir. En regardant la carte du monde, j'ai vu que d'autres options se dessinaient plus au nord : la Géorgie, l'Azerbaïdjan, suivis de la mer Caspienne pour me rendre au Kazakhstan.

En principe, en respectant ma moyenne mensuelle, je serais aux portes de la Chine après sept mois. Je n'ai pas osé planifier plus loin. Ces sept mois m'apparaissaient déjà bien longs. Pour un premier grand voyage de vélo en pleine autonomie, j'avais prévu plusieurs chaînes de montagnes à traverser, dont les Alpes, le Caucase et une branche de l'Himalaya en Asie centrale. Réussirais-je même à terminer ma première semaine ?

JE T'AIME

« Mon gars, tu as des couilles d'acier ! »

C'est ce que m'a écrit un ami, enthousiaste, quand je lui ai parlé de mon projet.

Je m'attendais à ce qu'on me traite de fou quand j'annoncerais officiellement que je quittais mon travail avec comme seul objectif d'aller dormir dans ma tente et de pédaler sous le soleil ou la pluie huit heures par jour. C'est tout le contraire qui s'est produit. « Ah ! si j'avais ton âge ! » m'a-t-on souvent dit.

Et pourtant, tous avaient déjà eu mon âge il y a plus ou moins longtemps. Je comprends qu'un tel changement de vie fasse peur. J'avais moi-même cette crainte à surmonter et je me suis longtemps répété comme un mantra que c'était la bonne décision.

Durant les quelques mois précédant le départ, je me réveillais parfois la nuit en me demandant si, malgré le soutien de ma famille, de mes amis et collègues, je ne me trompais pas. Est-ce que partir un ou deux mois ne serait pas plus raisonnable ? Que penserait-on de moi si j'abandonnais dès le début ?

Mais je m'en suis tenu à mon rêve initial. Après une année de préparation, j'étais mentalement prêt à affronter le défi que je m'étais lancé.

J'ai terminé ma dernière journée de travail un vendredi de mars, et j'ai mis sans tarder mon vélo dans une boîte. Le lendemain, j'ai déménagé ma vie matérielle dans le sous-sol de la maison de mon père.

Mon frère cadet nous a rejoints le dimanche midi pour un brunch spécial que mon père voulait préparer avant mon départ, prévu la journée même. Au menu, des crêpes, comme ma mère les faisait les fins de semaine de notre enfance. Comme tant d'hommes de son âge, mon père n'avait jamais vraiment développé ses talents de chef, passant plutôt de la cuisine de sa propre mère à celle de son épouse.

Il installe pourtant le vieux livre de recettes familiales manuscrites sur le comptoir et lit attentivement plusieurs fois les quelques indications et ingrédients nécessaires. Mais la nouveauté de son rôle de cuisinier et l'importance qu'il accorde à ce dernier repas en famille augmentent son stress. Le résultat n'est pas à la hauteur de ses attentes. La cuisson, l'épaisseur et la grosseur de ses crêpes, tout semble le décevoir.

« Je voulais tellement les faire comme Diane », nous dit-il, les yeux humides. Mon frère et moi le prenons dans nos bras, unis tous les trois dans une étreinte. « Tout est parfait », lui répondons-nous pour le rassurer.

Trop rapidement, l'heure de partir nous ramène à la réalité.

Ma grosse boîte de carton contenant mon vélo en pièces détachées est déposée dans l'auto. Mon père s'installe sur le siège du passager et je conduis en silence jusqu'à l'aéroport Trudeau. C'est la première fois depuis des mois que je n'ai plus de détails à planifier. Cette fois, c'est vrai. Dans le calme monotone du roulis des pneus sur l'asphalte, l'âme de ma mère flotte entre nous deux sur l'autoroute 40.

Je brise le silence.

« Elle dirait quoi de tout ça, tu penses ?
– Elle serait très inquiète, répond mon père, fixant la route pour éviter mon regard. Et très fière… comme moi. »

Je stationne devant l'aérogare, je sors mes bagages du coffre. Les larmes aux yeux, mon père me souhaite une dernière fois bonne chance. Tout a été dit. Ou presque.

Je t'aime.

EUROPE

14 pays

65 jours

3600 km pédalés

21 $ par jour en moyenne

—

Nuitées :

37 en camping

19 en auberge

8 invitations

1 en bateau

—

Plus longue journée : 137 km en Bulgarie

Plus petite journée : 1,8 km (!) en Suisse

TU NE ROULES PAS VITE, LE JEUNE…

ANGLETERRE

Ce n'est pas un hasard si j'ai choisi l'Angleterre comme lieu de départ. Pendant quatre ans, j'ai eu une conjointe britannique. Au fil des voyages et des visites à sa famille, j'ai appris à aimer cette culture et j'ai créé des liens.

Je débarque ainsi en territoire connu, à Bristol, ville portuaire historique d'un demi-million d'habitants au sud-ouest du pays. C'est Nick, mon ancien beau-père, qui m'héberge pendant quelques jours dans la maison familiale, maintenant un peu grande pour lui seul. Par un triste coup du sort, son épouse est aussi décédée récemment du même cancer que ma mère. Ça fait du bien de le revoir.

Nick est très actif et ne fait pas sa fin soixantaine malgré sa tête blanche légèrement clairsemée. Comme il est cycliste et musicien comme moi, nous avons beaucoup de points en commun. Il me reçoit comme son fils et nous prenons plaisir à préparer ensemble les repas et à terminer nos soirées en prenant le thé au salon.

Au cours de l'une de ces agréables soirées, j'ose lui poser une question qui pourrait être adressée à bien d'autres anglophones : pourquoi n'a-t-il jamais appris une autre langue ? « Tu as pourtant eu une carrière en technologie qui t'a mené toute ta vie partout en Europe. » En bruit de fond, on attend la BBC à la télé. Nick esquisse un sourire. « *No need to* », me répond-il mi-rieur mi-sérieux avec son charmant accent britannique, « *we won the war!* » Il n'a pas tort. Quand ta langue maternelle est parlée partout dans le monde, la nécessité d'en apprendre une autre est certainement diminuée.

*

Après quelques jours de repos, où j'en profite pour remonter mon vélo en un morceau, acheter un peu de nourriture pour la route et boire pas mal de thé avec Nick, c'est finalement l'heure du vrai grand départ. Je n'ai pas d'objectif précis concernant la distance quotidienne à parcourir. Surtout pas au début. Tout sera trop nouveau. M'habituer au poids du vélo, identifier quelles routes prendre, comment trouver un endroit où dormir… J'en ai à apprendre. Y compris quoi répondre aux curieux croisés sur ma route. J'imagine déjà les conversations.

« Où vas-tu, chargé comme ça avec ton vélo ?
– Au Vietnam !
– Oh ! Et quand es-tu parti ?
– Ce matin… »

Cela ne fait pas sérieux. Je décide que je répondrai en modifiant un peu la réalité. « Je suis en Angleterre depuis une semaine ! » me paraît pour l'instant une réponse plus appropriée.

Mais cette question, les six ou sept personnes qui m'accompagneront dans la matinée de cette première journée ne me la poseront pas. Nick les a déjà entretenues de tous les détails de mon périple.

Mon hôte a en effet fait appel à ses amis du club local de vélo pour m'encourager : un adorable groupe de septuagénaires « mangeurs d'asphalte » qui se rencontrent une ou deux fois par semaine. Ils sont tous équipés dernier cri – des souliers à clip en carbone au couvre-casque fluorescent protégeant de la pluie. Et en cette fin de mars, l'Angleterre est à la hauteur de sa réputation… Ce sera sous une constante pluie fine que se déroulera ma première journée.

Mes nouveaux amis du troisième âge souhaitent à en connaître plus sur mon voyage – itinéraire, motivation, équipement – et à m'en raconter autant sur leurs propres aventures et expériences cyclistes. Tout l'avant-midi, je roule en alternance avec l'un d'eux à mes côtés sur la piste cyclable. La même question revient sans cesse, suivie de la même réponse.

« Combien pèse ton vélo avec l'équipement ?
– Environ 50 kilos.
– Ah, d'accord. Parce que tu roules vraiment lentement… »

Faut le faire, quand même, ralentir un groupe de septuagénaires !

À la mi-journée, nous prenons une pause de la bruine dans un vieux train à vapeur converti en café. C'est ici que nos chemins doivent se séparer. Tour à tour, chacun d'eux vient m'étreindre joyeusement, me souhaite bonne chance, *have fun, be careful*. Nick s'approche le dernier. Il me serre plus fort encore et… ne dit rien. Cela ne serait pas britannique de montrer ses émotions. Mais il n'a pas besoin. Sa caresse et son regard suffisent.

Voilà, je suis maintenant seul. C'est vrai ! Un coup de pédale à la fois, tout mon corps veut s'adapter à mon lourd chargement et à ma nouvelle vie. Je me dirige vers l'est.

A CUP OF TEA

ANGLETERRE

Je n'ai aucune idée où je dormirai cette nuit.

À partir de maintenant, rien n'est prévu. Pourtant, en cette première journée de route, je me sens merveilleusement bien. J'ai laissé à la maison mes doutes des derniers mois, et je suis là où je dois être.

Ce premier soir, il pleut encore par intermittence. Ne sachant trop comment trouver un endroit où poser ma tente, ni comment les gens vont réagir, j'entre dans un bois afin d'éviter les regards. Je m'y promène un peu, mais comme il y a des vaches et des moutons assez près, je suis inquiet qu'on m'aperçoive des maisons voisines.

Je vois finalement un vieil homme affairé à l'extérieur de sa résidence. Je m'empresse d'aller lui demander si je peux utiliser son champ voisin pour y planter ma tente.

Un peu surpris, le retraité me répond que ce terrain ne lui appartient pas et me suggère plutôt de m'installer directement sur le sien. Dans ma tente, sur l'épaisse herbe jouxtant sa maison en pierre, je ne m'ennuie même pas du confort d'une maison. Je suis content de ma première journée, je suis maintenant au sec et au chaud dans mon sac de couchage, et j'ai une année complète d'aventures devant moi.

À l'intérieur de la maison, l'épouse de l'homme se sent mal à l'aise de me laisser dehors à la pluie. Elle ouvre la fenêtre et attire mon attention en m'appelant par mon prénom. Elle me demande si tout va bien, et depuis combien de temps je suis sur la route, sans doute pour recevoir la confirmation que je suis habitué à loger dans ma tente. « Je suis en Angleterre depuis une semaine », que je lui réponds en souriant de fierté d'utiliser ma réponse toute prête. Je sens persister sa petite inquiétude d'avoir un étranger sur son terrain, mais sa bienséance britannique l'emporte : elle vient timidement à ma tente me porter une grosse tasse de thé bien fumant. Elle me sourit et me souhaite une agréable nuit.

*

Dans les jours suivants, la température maussade se poursuit, parsemée d'éclaircies qui me réchauffent l'extérieur comme l'intérieur. La pluie ne m'empêche cependant pas de voir la magnifique beauté du pays. Le sud de l'Angleterre est une succession de collines rondes et verdoyantes. En visitant la grande Histoire – aux bains romains de Bath, aux monolithes préhistoriques de Stonehenge, et en dormant à l'ombre d'une église –, je me félicite de mon point de départ.

Cette île est faite pour le vélo. Beaucoup de routes sont très peu fréquentées, et les automobilistes laissent beaucoup de place aux cyclistes, quitte à attendre patiemment le moment propice pour dépasser. Le traditionnel savoir-vivre anglais, quoi. En découvrant petit à petit le monde du camping sauvage, je me demande d'ailleurs comment j'ai déjà pu accepter de payer pour planter ma tente.

Un soir, pourtant, faute de trouver un endroit gratuit qui me convienne, je m'arrête au Chichester Camping and Caravanning Club Site. L'emplacement est beaucoup plus « caravane » que camping, et ma tente est la seule des lieux.

Le temps est vraiment vilain et semble même s'envenimer. Ian, le gérant du site, est inquiet pour ma sécurité. Je l'apprends lorsqu'il m'accroche à mon retour de la douche. « On annonce de très grands vents pour cette nuit, il faudrait que tu rentres », me prévient-il. Il utilise même le mot préféré des météorologues anglais : *treacherous*. Un temps traître et dangereux, rien de moins ! Riant de l'aventure, je déplace donc mon matelas et mon sac de couchage dans la buanderie du club, et je m'installe entre les lavabos et les machines à laver.

Une chance ! Au petit matin, le terrain est dévasté. On trouve d'immenses branches partout et les vents de 100 km/h ont jeté par terre des arbres entiers. L'un d'eux s'est déraciné et est tombé directement à l'endroit même où j'avais installé ma tente la veille.

Le temps est toujours instable et le bon Ian se soucie encore une fois de moi. Julie, son épouse tout aussi gentille, trouvera le compromis auquel je commence déjà à m'habituer avec plaisir. « Tu prendras bien au moins un thé avant de partir ? »

In Loving Memory
of
HERBERT TITT
ALSO OF HIS WIFE
LYDIA MAY
AT REST

L'église d'East Grimstead, dans le Wiltshire,
derrière laquelle j'avais installé ma tente.

COURTE TRAVERSÉE

ANGLETERRE / FRANCE

Je planifiais longer la côte sud de l'Angleterre jusqu'à la ville de Dover. De là, je voulais prendre le traversier menant à Calais, en France. Mais, depuis le début, je subis une désagréable pluie combinée au vent anglais, et même une petite période de grêle! Je commence à me faire croire qu'il fera plus beau sur le continent, et décide ainsi de couper plus rapidement l'aventure anglaise en traversant la Manche à Newhaven, direction Dieppe, en Normandie.

Je roule à fond toute la journée afin de prendre le traversier de nuit. J'ai bien espoir de dormir au sec. Mais cela ne se passe pas comme prévu.

La traversée est tardive et ne dure que deux heures. Je la croyais plus longue, dû à mon oubli de tenir compte du changement de fuseau horaire. À peine ai-je le temps de m'endormir sur un des petits bancs droits et inconfortables du bateau que nous arrivons déjà en France. Il est quatre heures du matin et il fait un froid glacial. J'entre le plus rapidement possible dans la gare maritime pour tenter de terminer un semblant de nuit. J'y trouve Alex et Marcus, deux cyclistes britanniques sur la route entre Londres et Paris. Ils sont déjà installés, aussi gelés et fatigués que moi. Tous les trois, nous grelottons malgré nos couches de vêtements.

À 6h, on nous annonce que la gare ferme pour le ménage quotidien et que nous devons quitter l'endroit. Nous roulons ainsi rapidement jusqu'au premier café ouvert, puis y patientons jusqu'à 7h30. Nous voyons lentement Dieppe se réveiller. Un soleil pâle commence à illuminer les pavés encore humides de rosée. Les portes s'ouvrent, les piétons se font plus nombreux sur les trottoirs. Nos frissons nocturnes se calment lentement.

Beaucoup d'aventuriers sont partis de cette ville pour s'établir en Nouvelle-France, et en observant la foule de travailleurs grossir, je ne peux m'empêcher de penser que nous partageons sans doute plusieurs ancêtres. Rouler en France, c'est un peu comme remonter le cours de sa propre histoire.

*

Après une petite visite de la ville, je m'embarque sur une agréable piste cyclable pointant vers le sud. Rapidement, je croise des marcheurs, des cyclistes, et j'ai à peine assez de souffle pour répondre à tous les francs et généreux «Bonjour!» de mes cousins français. L'un de ces bonjours vient de Véronique, charmante quadragénaire qui m'aborde en compagnie d'une amie alors que je prends une pause à une table à pique-nique et que je savoure le soleil et un sandwich au beurre d'arachide.

Les deux dames sont ravies de constater que je suis un « cher cousin canadien ». Véronique m'invite à continuer ma route jusque chez elle et son conjoint, Olivier, à Forges-les-Eaux, un joli village normand pas très loin de la voie cyclable.

Muni de l'adresse, je me retrouve quelques heures plus tard devant une haute habitation de trois étages en briques et en bois datant du début du siècle dernier. Comme Véronique n'est pas encore arrivée, je me présente à Olivier. « Bonjour, je suis Jonathan, et Véronique m'a invité à souper avec vous. » Mon hôte n'a pas été mis au courant de ma visite, mais n'en est aucunement perturbé. Il m'invite à entrer et m'assigne une chambre : le troisième étage au complet ! J'ai ma propre salle de bain, un grand lit et une exquise vue sur le village.

Après mes quelques heures de sommeil de la veille, je me pince de ma chance pour cette première nuit en France.

Le repas est typiquement français avec ses pains, fromages et vins, et surpasse de loin mes sandwichs au beurre d'arachide ! Véronique et Olivier m'apprennent qu'ils partagent leur temps entre la Normandie, dont ils sont originaires, et la Provence, où ils ont une seconde maison. Ils souhaitent y déménager plus tard et m'invitent déjà à aller y passer du temps !

Le couple est si gentil que je dois pratiquement me retenir pour ne pas m'établir dans le village en achetant la maison voisine de la leur.

Déjà, je sens que je pourrais demeurer longtemps dans cette France si accueillante.

UN PROBLÈME DE RÉPUTATION

FRANCE

Les Français que j'ai eu le plaisir de rencontrer sur ma route sont si conscients de leur mauvaise réputation – ils seraient râleurs, prétentieux, égocentriques – qu'ils compensent en mettant les bouchées triples pour s'éloigner de celle-ci. Si j'avais accepté toutes les invitations, je ne serais probablement jamais sorti du pays!

Je suis un soir à la recherche d'un endroit où dormir à Venette, juste avant Compiègne, dans le département de l'Oise. La pluie de l'Angleterre semble m'avoir rattrapé. Mouillé et transi, je roule chaque jour sous une température dépassant rarement une dizaine de degrés.

Un peu passé un immense manoir au centre du village, j'aborde un couple de marcheurs dans la force de l'âge. Faute de place pour m'héberger chez eux, ils me suggèrent plutôt d'aller cogner chez l'une des conseillères municipales qui possède un gîte touristique. Ils m'escortent jusqu'à la porte de la dame en question. C'est le manoir aperçu plus tôt!

Martine et Bruno, tous deux au début de la quarantaine, m'ouvrent leur porte et m'acceptent à bras ouverts, « à cause de mon sourire » de m'avouer Martine. La maison, nommée Le Clos Florésine, du prénom de la grand-mère de Bruno, est dans la famille de ce dernier depuis plus de cinq générations. Mon hôte m'apprend que sa maison a toujours été ouverte à tous. Des soldats français y ont même été hébergés lors de leur passage à pied durant la Grande Guerre. Transformer aujourd'hui les nombreuses chambres en un gîte et une résidence pour étudiants étrangers était donc pour eux une continuité naturelle.

Je ne cesse d'être surpris de la rapidité avec laquelle je passe d'étranger à confident chez les gens qui me reçoivent. Le couple qui ne me connaissait pas il y a quelques heures me parle maintenant de sa vie, de ses essais et espoirs d'avoir un enfant, et m'invite à rester plus longtemps. Martine me coupe même les cheveux dans sa cuisine en m'expliquant les rouages de la politique municipale française. Le village de Venette compte 3000 habitants… et 21 élus!

Mais je ne veux pas abuser de leur générosité. Et comme je prends un réel plaisir à rouler et à découvrir sans cesse de nouveaux paysages, je reprends la route dès le lendemain.

*

Je me suis fixé l'objectif de dépenser en moyenne 25 $ par jour tout au plus. Cela semble peu, mais c'est très réalisable considérant que mon transport ne me coûte presque rien et que l'hébergement est généralement sous la tente ou chez de gracieux hôtes. Ma principale dépense va pour la nourriture, généralement achetée en épicerie.

Si la cathédrale de Reims est impressionnante, la cathédrale Saint-Pierre de Beauvais l'est tout autant avec sa voûte de chœur de 48,5 m, la plus élevée du monde.

Afin d'éviter de payer des hôtels coûteux, je planifie aussi mes journées de manière à installer mon campement à une vingtaine de kilomètres avant d'entrer dans la ville que je souhaite visiter. Je peux faire le touriste pendant la journée puis sortir de l'autre côté de la ville afin de trouver un autre emplacement de camping sauvage.

C'est de cette façon que je visite la ville de Reims, en Champagne. J'ai des frissons en entrant dans la vieille cathédrale du 13e siècle où les rois de France se faisaient couronner. Gravée sur une dalle de pierre au milieu de l'allée centrale, on peut lire l'inscription suivante: «Ici saint Remi baptisa Clovis roi des Francs.» Celui qui unifia une grande partie des royaumes francs à la fin du 5e siècle, et presque tous ses successeurs à la tête du royaume de France sont passés par ici.

Pour le jeune adolescent dévorant les livres d'Alexandre Dumas que j'ai été, il s'agit presque d'un pèlerinage. Pour un peu, je me prendrais pour un mousquetaire moderne, traversant le royaume sur la selle d'un vélo.

*

Me prenant encore pour D'Artagnan à ma sortie de Reims, je suis d'humeur à me laisser tenter par un burger d'un camion de rue.

Stéphane, le restaurateur ambulant le plus affable que je puisse imaginer, est au gril. Immédiatement après avoir appris que ma route m'amènerait le lendemain près de chez lui, à Vouziers, il me fait promettre de passer le voir.

Je prends ce soir-là quelques routes agricoles pour rouler plus en ligne droite vers le village de mon nouvel ami. Mais il tombe encore des cordes durant la nuit, et les routes d'argile que j'ai empruntées la veille se transforment vite en véritables patinoires. Je n'ai plus aucun contrôle sur mon vélo et je m'affaisse à plusieurs reprises de tout mon long dans cette boue beige. Une glaise épaisse s'accumule sur toutes les parties de mon vélo. Lorsque Stéphane m'ouvre la porte de sa résidence, mon équipement et moi avons changé de couleur. Le cuisinier s'esclaffe. «Que s'est-il passé depuis hier?» rigole-t-il en me prenant par les épaules.

Sans faire ni une ni deux, mon hôte s'empresse de laver ma bécane et mes sacs à l'aide d'un boyau d'arrosage alors que Sandrine, sa tout aussi prévenante conjointe, se charge de tous mes vêtements. Moi qui croyais ne faire ici qu'une pause pour le repas du midi, me voici encore une fois assis à une table de cuisine à écouter des confidences d'étrangers que j'apprends à aimer.

Les yeux humides, Stéphane me raconte qu'il est amoureux de Sandrine depuis l'école secondaire. Posant un regard affectueux sur elle, il ajoute qu'à l'époque il avait « raté [sa] chance » et qu'elle s'était mariée avec un autre. Une vingtaine d'années ont passé, puis Stéphane a un jour appris que Sandrine était à nouveau célibataire. Il a cessé de virevolter d'un emploi à un autre dans toute la France et est revenu à la maison conquérir celle qu'il avait toujours gardée dans ses pensées. Il a accepté avec joie de devenir un second père pour le fils adolescent de Sandrine.

Avant de me laisser repartir, Stéphane me prépare un gargantuesque lunch qui me sustentera durant deux jours. En quittant encore une fois de magnifiques hôtes, alors que je suis propre, heureux, avec le ventre repu de délices, j'ai peine à comprendre d'où vient cette réputation du Français non accueillant. Peut-être de Paris, je n'en sais rien. Mais certainement pas de quelqu'un qui se promenait dans les campagnes à vélo.

RASSEMBLÉS SUR LA FRONTIÈRE

BELGIQUE / LUXEMBOURG / FRANCE

Pour un Canadien habitué aux immenses espaces comme moi, l'une des caractéristiques notables de la France est certainement la très grande proximité des villages. Les communes se succèdent, offrant un incessant défilement de pancartes de bienvenue et d'au revoir. Dans pareil voisinage, les frontières entre l'agricole et le résidentiel disparaissent presque. Je passe devant des granges en bois et de vieilles maisons de ferme en pierre en plein cœur des villages. Je me fais saluer par quelques têtes de bétail, curieuses, qui dodelinent entre des habitations plus modernes. Je dépasse des tracteurs devant l'école ou la mairie.

Parfois, lorsque je réussis à étendre ma vue sur l'horizon, je peux apercevoir jusqu'à une quinzaine de clochers en même temps. Surmontant ceux-ci, les croix s'élancent fièrement des champs vers le ciel comme des mains levées haut qui voudraient signifier leur présence. Avec toutes ces communes qui possèdent chacune leur clocher, il est difficile de croire que la France est un pays laïque depuis la Révolution à la fin du 18e siècle.

Presque aussi communs que les clochers, on trouve des monuments en mémoire des fils locaux morts sur les champs de bataille des deux grandes guerres mondiales qui ont ravagé ces terres.

Sur la route qui m'entraîne vers la Belgique, les cimetières sont assez nombreux pour rappeler au passant les sacrifices de ces générations si près de nous. Mais certains noms des localités passées à l'histoire rajoutent un lourd vernis. C'est le cas de la célèbre Verdun. La bataille éponyme, en 1916, qui a duré 10 mois, aura été la plus longue de cette première Grande Guerre. Avec un inimaginable bilan de plus de 700 000 victimes – morts, blessés et prisonniers.

Je pédale une demi-journée en Belgique avant d'atteindre le grand-duché du Luxembourg, paradoxalement l'un des plus petits pays d'Europe et du monde.

La traversée est rapide et, de retour en France, je m'arrête demander de l'eau dans un magasin d'antiquités un peu avant Metz, en Lorraine. C'est samedi soir et l'arrière-boutique est remplie d'une dizaine de vieux amis dans la fin de la quarantaine. Le Ricard coule à flots et le groupe m'invite bruyamment à les rejoindre.

L'épouse du propriétaire constate rapidement que je m'intéresse plus à l'histoire des lieux qu'au pastis qu'on me force presque à partager. Elle met la main sur un grand livre de photos jaunies, souffle la poussière et commence à me parler des hommes immortalisés dans ces pages : les « malgré-nous ».

Un trépied, un délai de dix secondes et plusieurs allers-retours, voilà le secret de l'autoportrait à vélo!

Grands-parents, vieux oncles ou villageois partis trop vite, ces malgré-nous – et malgré-elles – d'Alsace et de Moselle ont acquis leur sobriquet après avoir été forcés à combattre pour l'armée allemande durant la Seconde Guerre mondiale. On estime qu'environ le tiers de ces 130 000 conscrits auraient perdu la vie loin de leur foyer. Certains d'entre eux habitaient sans doute le quartier même où je me trouve.

Partout dans cette région, je ressens la présence de ces générations d'hommes et de femmes qui ont payé de leur vie notre droit de vivre libres. Je me trouve minuscule et insignifiant en pensant qu'ici même, à un âge où j'aurais déjà été un vieux soldat, mon plus grand problème actuellement est de trouver de l'eau pour remplir mes bouteilles.

*

Si la ville de Metz est résolument française, ce n'est pas le cas de Strasbourg, plus à l'est. Chef-lieu de l'Alsace, Strasbourg changera quatre fois de nationalité entre 1870 et 1945, au fil des différentes victoires françaises ou allemandes. Aujourd'hui, la ville située sur le Rhin, le fleuve qui sépare les deux pays, est française sur papier. Mais son architecture, sa culture et son histoire rappellent constamment ses liens germaniques.

D'ailleurs, sur les pistes cyclables qui longent le Rhin vers le sud, je constate fréquemment que la frontière franco-allemande est, de nos jours, immensément poreuse. Souvent au plus grand plaisir des habitants des deux rives.

C'est en suivant une indication pour des toilettes que j'atterris à La Grange à bécanes, à Bantzenheim, près de Mulhouse, dans un coin jouxtant l'Allemagne et la Suisse. N'ayant de grange que le nom, le bâtiment moderne et lumineux est en fait un musée consacré aux motocyclettes anciennes. J'arrive la journée même de l'ouverture officielle de la saison, et les amateurs des deux côtés du fleuve, Français comme Allemands, sont nombreux à avoir convergé ici pour la bénédiction annuelle des motos.

Autour de leur passion commune, tous se réjouissent de partager des plats typiques des deux cultures et en profitent gentiment pour multiplier les gags concernant l'absence de moteur de ma propre bécane !

Ce chevauchement entre deux cultures prendra fin à mon entrée à Bâle, en Suisse. Les éclats de rire des motocyclistes résonnent encore gaiement à mes oreilles. Il semble invraisemblable que les ancêtres de ces amis se soient tapés et tirés dessus si sauvagement durant des siècles. Leur camaraderie d'aujourd'hui, qui mélange le vin à la bière et les saucisses au fromage, est une leçon pour le reste du monde. Nous possédons beaucoup plus de points communs qui nous rassemblent que de différences qui nous séparent.

Le paysage de la capitale luxembourgeoise est dominé par les institutions financières, dont cette tour de l'horloge de la Banque et Caisse d'Épargne de l'État.

SENTIR LES PAPILLONS

SUISSE

Je n'aurais pas dû manger avec autant d'entrain ce poisson en conserve. Campé dans un décor idyllique à mi-chemin entre Bâle et Zurich, je viens de vivre ma pire indigestion en 15 ans. C'est dans le noir, entre chaque réveil accompagné de haut-le-cœur, que je devais trouver le plus rapidement possible la fermeture éclair de la porte de ma tente…

Au matin, je n'ai même plus la force d'apprécier à sa juste valeur le magnifique tableau champêtre qui m'entoure. À l'orée d'un bois, je me suis posé la veille au haut d'une collinette recouverte d'herbe épaisse. Au loin, j'aperçois quelques villages blottis au fond des vallées alpines. Plus près, les couleurs se mélangent et s'harmonisent dans une même palette naturelle. Le jaune éclatant d'un champ de colza côtoie les dizaines de verts des trèfles et des herbes en pâturage que s'arrachent les petits troupeaux bovins. La rosée disparaît rapidement sous la réconfortante lumière du printemps qui possède tout le ciel.

Mais après ma nuit mouvementée, mon esprit focalise uniquement sur mon affreuse soif. Désespéré, je rationne pourtant les deux dérisoires gorgées d'eau restantes dans mon bidon. Je range mon campement, mais je suis encore si faible que je tombe de sommeil à quelques reprises à même le sol. Ce qui est normalement l'affaire d'une trentaine de minutes s'étale sur quatre interminables heures. La mi-journée vient déjà de passer lorsque je réussis finalement à remettre mes pneus sur l'asphalte.

Mais je ne suis pas au bout de mes peines. La première petite côte absorbe toute l'énergie qu'il me reste. Sur mon engrenage le plus aisé, je pousse lentement les pédales en essayant de ne pas perdre l'équilibre.

Au sommet, je suis en nage et je frissonne à la fois. Mes jambes chancellent sous mon poids. J'ai l'impression d'avoir traversé les Alpes au complet, alors que mon compteur n'indique qu'un ridicule 1,5 km ! J'aborde un vieil homme et lui demande dans un allemand très précaire s'il peut me donner à boire. J'ai si soif que je m'abreuve avec volupté à même son boyau d'arrosage. L'eau fraîche me revigore. Je recommence à pédaler, mais ne réussis à faire que quelques centaines de mètres avant que l'épuisement et les nausées ne reprennent. Je tombe à nouveau de fatigue dans l'herbe sur un terrain privé…

Je ne peux pas continuer comme ça. Je me traîne de l'autre côté de la rue et demande à un homme occupé à tondre sa pelouse s'il me permet de planter ma tente derrière sa maison. En bon conjoint, il rentre demander la permission à sa douce moitié. Lorsque Koen et Su acceptent et me demandent d'où j'arrive ainsi, je ne peux que leur répondre piteusement « de l'autre côté de la côte »…

Su m'offre immédiatement à manger. « Prends du bouillon de poulet, cela te fera du bien. » Puis la conversation nous mène jusqu'au souper et à une invitation plus que bienvenue à dormir dans un lit à l'intérieur.

Ses bons soins ont tôt fait de me ramener dans un meilleur état. Je pose plus de questions et apprends que Koen, son mari, est chercheur en pharmacologie en ville. Je lui demande si elle travaille dans le même domaine et à quelle heure elle doit partir le lendemain. Dépitée, elle répond : « Je reste à la maison. Je suis en phase terminale du cancer, et je n'ai plus la force de travailler à l'extérieur. »

Oh.

Je ressens soudainement une étouffante vague de honte de m'être plaint d'une sale indigestion et de l'avoir laissée me soigner. Su avait certes un peu l'air fatigué, mais je ne m'étais pas douté une seconde que ses courts cheveux poivre et sel et ses lèvres craquelées témoignaient des traitements qui avaient échoué.

Malgré ce qu'elle affirme, cette brave femme est pourtant loin d'avoir complètement cessé de travailler. Quelques jours par semaine, elle ouvre sa porte à de jeunes mères réfugiées, provenant le plus souvent de l'Érythrée, un pays à côté de l'Éthiopie dans la Corne de l'Afrique. Elle leur enseigne à jardiner, à parler l'allemand et à se faire confiance dans cette nouvelle vie. Pour ces femmes et leurs enfants, cette maison ancestrale dans les collines est un havre leur permettant de s'acclimater à leur pays d'accueil.

Su m'affirme tirer plus de ce bénévolat que de son mode de vie précédent à Zurich, presque entièrement axé sur son travail de bureau. « Mon cancer, me dit-elle, m'a, d'une certaine façon, forcée à ralentir durant les quatre dernières années. Il m'a donné l'occasion de déménager à la campagne, de profiter davantage de la nature et d'aider ces réfugiés. »

Avant de partir, je lui demande si elle a un conseil de vie pour moi. Son regard s'élève et survole les champs en friche derrière sa maison. Elle réfléchit quelques secondes, comme si elle tentait de rassembler les bons mots. Après une grande respiration, Su fixe à nouveau ses profonds yeux noirs dans les miens et me donne sa réponse :

« Prends le temps d'écouter l'herbe, de goûter le soleil et de sentir les papillons. »

Mes sourcils se dressent, l'air de demander si les verbes qu'elles utilisent ne se seraient pas mêlés dans la traduction. Mais le sourire en coin de Su et son léger signe de tête me confirment sans le moindre doute qu'elle a pleinement choisi sa poésie.

Le Rhin au cœur de la ville de Strasbourg.

Vue harmonieuse sur Effingen, bucolique commune suisse de quelques centaines d'habitants.

Toutes les saisons entourent
le château de Sargans, en Suisse.

L'AMBIANCE SE REFROIDIT

ALLEMAGNE / SUISSE / LIECHTENSTEIN

Le décor alpin est absolument fantastique. J'enchaîne les belles et nombreuses pistes cyclables et les routes sinueuses et tranquilles des vallées. Mon regard est constamment attiré vers les omniprésentes cimes enneigées que je pourrais presque toucher des doigts. Tout autour, le printemps de cette fin d'avril explose de douces couleurs dans des champs saturés d'herbe.

Alors qu'en France je passais mes journées à rendre les bonjours, je constate rapidement que les germanophones alpins semblent beaucoup moins aimer faire causette. Peut-être souhaitent-ils simplement garder jalousement leur coin de paradis pour eux.

Passé Zurich, au centre-nord de la Suisse, la pluie glaciale et moi avons encore presque un rendez-vous quotidien. Passant nuit après nuit dans ma tente avec mon manteau, ma tuque et mon capuchon, je peine à sécher mes vêtements. Même si je les mets au fond de mon sac de couchage toute la nuit pour les réchauffer. À la fin d'une de ces journées, transi, je cogne à quelques habitations dans l'espoir de décrocher une invitation à l'intérieur.

C'est peine perdue. Une dame m'ayant entrouvert sa porte ne daigne même pas me parler et me fait simplement un vague signe de la main de déguerpir. Debout sous l'averse, au bord d'une rue, mes mains sont si mouillées que je ne suis même plus capable d'accéder à ma carte routière sur mon téléphone. J'erre un peu, puis j'arrive au barbecue de l'équipe locale de soccer. Je souris aux gens tout autour, mais personne ne semble vouloir engager la conversation ici non plus. Pendant ce temps, le soleil s'apprête à disparaître de l'horizon. Je m'ennuie de l'accueil français.

Je me résigne à l'idée de dormir encore en tente sous le déluge lorsque j'aperçois au loin une grande cabane dans un arbre. Je m'y rends, monte la dizaine d'échelons qui mènent à la trappe d'accès. Je la soulève et y découvre toute une surprise. La cabane est meublée d'une table et d'une chaise bâties à même le sommet de l'arbre doublement tronqué. On y trouve des fenêtres presque entièrement étanches, des rideaux, et l'espace est assez grand pour que je puisse m'y étendre avec mon matelas. Vendu ! J'y passe la nuit seul et incognito, m'endormant sous le doux battement de la pluie sur la tôle du toit.

*

Quelques jours passent et se ressemblent. Durant ma dernière nuit en Suisse, je campe dans une petite forêt. Toujours trempé, et cette fois sans cabane salvatrice, je me réveille à la noirceur, surpris par le contact des parois de nylon sur mon visage. Quelques secondes suffisent pour comprendre que la pluie vient de se transformer en neige. Une dizaine de centimètres s'accumulent déjà au sol. Je secoue ma tente, remonte la fermeture éclair de mon manteau et me rendors.

C'est par un long pont couvert en bois que j'entre au Liechtenstein. Séparé de la Suisse par le Rhin à l'ouest, et de l'Autriche par de hauts sommets à l'est et au nord, le pays entièrement situé dans les Alpes est minuscule. Avec seulement 160 km², il est le 6e plus petit du monde et ne compte pas plus de 37 000 âmes.

Malgré son indépendance, la principauté dépend beaucoup de sa voisine suisse : pour sa monnaie, pour le transport – le Liechtenstein n'a ni gare ni aéroport internationaux – et pour sa défense. En fait, le dernier engagement militaire de l'État remonte à 1866. On raconte que 80 soldats auraient été envoyés à la frontière italienne afin d'aider les Autrichiens. Il n'y eut finalement aucun combat, aucun blessé, et ce sont plutôt 81 hommes qui revinrent à la maison, avec l'ajout d'un combattant autrichien qui aura décidé de se joindre au groupe en chemin.

Je m'arrête au bureau touristique de Vaduz, la sympathique capitale de 5000 habitants. La carte touristique qu'on me tend est un dessin représentant le territoire au complet, incluant tous les attraits à visiter. Cela ne sera guère plus long à voir sur le terrain : une demi-journée après être entré au pays, je l'ai déjà traversé pour me rendre aux portes du prochain, l'Autriche.

Tous les abris sont bienvenus quand la pluie s'acharne.

DES PROPORTIONS OLYMPIQUES

AUTRICHE

Je me trouve dans le Vorarlberg, à l'extrémité ouest de l'Autriche. « Berg » signifie montagne en allemand, et la région ne pourrait mieux porter son nom. Les deux tiers de celle-ci se situent à plus de 1000 m d'altitude. Aucune montagne de ski au Québec n'atteint même cette élévation, alors que les cimes ici tutoient le ciel partout où le regard se pose.

Mon itinéraire suit généralement les courbes des vallées. Mais pour me rendre dans la région voisine du Tyrol, la seule option est de grimper un long col qui m'amènera vers les prochaines basses terres de l'autre côté.

La neige commence à tomber durant l'ascension de ce premier vrai défi montagnard. En quelques minutes, je suis pris dans un véritable blizzard. J'ai beau avoir des couvre-chaussures, un manteau et des gants, l'air froid et mouillé de lourds flocons me transperce jusqu'aux os. Je m'essuie à répétition le visage et les yeux, persuadé que je serais mieux équipé avec des skis qu'avec des pneus.

Je continue malgré tout à grimper en cette fin de journée. J'appréhende déjà la nuit sous la tente, j'ouvre donc l'œil pour tenter de repérer dans la tempête un rare terrain relativement plat où je pourrais m'installer avant la noirceur.

Je choisis finalement de monter à pied sur le dessus d'un tunnel ferroviaire. Le sommet étant de niveau, j'y laisse quelques sacs et me laisse glisser jusqu'à mon vélo laissé sur la chaussée. La montée m'a semblé moins prononcée sur son autre versant, et je m'engage donc dans le tunnel. De l'autre côté, je constate la présence d'un petit village. Près de la sortie du tunnel, sur la porte d'une des premières maisons, je vois un écriteau : *Gasthaus* (auberge). Je cogne.

« Combien pour une chambre ?
– Vingt-cinq euros. »

Mon allemand n'est pas assez bon pour expliquer à la propriétaire, intriguée, que je dois retourner chercher ma tente par-dessus le tunnel. Mais mon excitation de dormir à l'abri de la tempête traduit mon message : je vais prendre la chambre.

*

De l'autre côté du col, la route file jusqu'à la ville d'Innsbruck, autoproclamée « capitale des Alpes ». Je n'ai guère de doute en marchant dans son magnifique centre-ville que le village au pied du versant sud du mont Tremblant a été directement inspiré par cette architecture alpine multicolore.

Lendemain de tempête à Langen am Arlberg, dans le Vorarlberg, en Autriche.

Avec ses innombrables pistes cyclables et ses paysages grandioses,
l'Autriche est un paradis pour le voyageur à vélo.

Les hauts pics enneigés sont tous si rapprochés qu'ils forment presque un mur naturel encerclant la ville. Il n'est pas étonnant qu'en plus d'Innsbruck, la région environnante du Tyrol offre un concentré de centres de ski, dont les populaires Kitzbühel et St. Anton.

L'air pur et frais d'Innsbruck a d'ailleurs accueilli les Jeux olympiques d'hiver à deux reprises, en 1964 et 1976. Ces derniers avaient été attribués à Denver en 1970, mais les électeurs du Colorado ont ensuite refusé d'accorder une subvention supplémentaire ayant pour but de compenser une grande augmentation des coûts. Le Comité international olympique a alors dû trouver rapidement une autre solution.

Plusieurs villes se portèrent de nouveau candidates, dont la canadienne Whistler ainsi que Lake Placid aux États-Unis. Mais le temps pressait et Innsbruck avait l'avantage d'avoir déjà accueilli les Jeux peu de temps avant. Au début de 1973, le CIO sélectionne alors la belle ville autrichienne pour une seconde fois en 12 ans.

Après Innsbruck, je poursuis ma route entre les montagnes, où je me retiens de ne pas m'arrêter toutes les cinq minutes pour prendre mon appareil photo. Je ne peux cependant pas résister d'installer un soir mon campement en haut d'une colline afin de profiter de la

vue. Avec la neige sur les sommets rocheux, un village et son église au loin, les pissenlits bordant une forêt de conifères et colorant une herbe touffue, le tout sous les délicates couleurs du ciel, l'occasion photographique est trop belle pour que je passe à côté.

Mais je suis ainsi à la vue de tous sur mon promontoire. Il n'en fallait pas plus pour que deux policiers, un homme et une femme, grimpent sur ma colline vers 22h et m'apprennent que je suis installé illégalement sur un terrain privé. Je leur réponds que je suis en voyage de vélo et leur assure que je partirai le lendemain matin.

« Où vas-tu ? demande l'un d'eux.
– Au Vietnam. »

Les deux agents se regardent avec de grands yeux ébahis et échangent quelques mots à voix basse. La policière se retourne ensuite vers moi : « C'est bon, tu peux rester pour ce soir. Nous irons l'expliquer au propriétaire. »

Un sourire de satisfaction se dessine malgré moi sur mon visage. Je me doutais bien que la meilleure façon de me faire des amis était de me promener à vélo !

UN PETIT PAYS AU GRAND CŒUR

SLOVÉNIE

On m'a souvent demandé si j'avais eu des coups de cœur durant mon voyage. Avec les pays comme avec les gens, c'est souvent lorsqu'on s'y attend le moins qu'on est le plus charmé. C'est ainsi, en ne connaissant strictement rien du petit pays d'Europe qu'est la Slovénie, que je passe sa frontière.

Et je suis tombé en amour.

J'ai compris dès les premiers kilomètres, au cours d'une longue et merveilleuse descente, combien le pays méritait son slogan de « sLOVEnia ».

D'une superficie d'à peine un tiers celle de la Nouvelle-Écosse, l'ancienne république yougoslave compte pourtant un accès à la mer Méditerranée, s'accroche aux Alpes au nord, et près de 60 % de son territoire est recouvert d'une riche forêt diversifiée composée principalement de hêtres, de sapins et de chênes. Cette omniprésente forêt constitue d'ailleurs une grande fierté pour les quelque deux millions de Slovènes, ces habitants qui sont partout accueillants, expressifs et curieux. « Comment connais-tu la Slovénie ? Merci de visiter notre pays ! » s'exclament-ils presque tous à mon passage avant de me parler dans un excellent anglais de leur patrie.

Il semble que le plus grand problème de la Slovénie soit celui de se faire constamment confondre avec la Slovaquie, plus au nord-est. Un ambassadeur slovène en Europe aurait même affirmé que les représentants de certaines des ambassades des deux États se rencontraient une fois par mois pour échanger le courrier ayant été mal adressé !

Au centre-ville de la petite capitale de Ljubljana, je monte sur les remparts du château datant du 12e siècle. J'y rencontre Jan, un rigolo dans la mi-vingtaine qui a décidé de passer lui aussi par ici pour admirer la vue gratuite. Nous contemplons les Alpes au loin et il me dit revenir tout juste de ses cours de sauveteur en montagne. « Les Slovènes sont les meilleurs alpinistes du monde », m'affirme-t-il. Le métier très spécialisé consiste à aller secourir des randonneurs en détresse dans des endroits où un hélicoptère ne peut se poser. Avec des pics enneigés à moins d'une heure de route de la ville, leur terrain d'entraînement ne pourrait être plus accessible.

En partant, Jan continue la tradition locale et me remercie de visiter son pays.

Après la capitale, je remarque dans chaque village un pin perché à plusieurs dizaines de mètres du sol. On m'apprend que ce sont les arbres du renouveau. Chaque année, au 1er mai, les jeunes vont couper un immense conifère, enlèvent l'écorce et coupent toutes les branches sauf celles du haut. Ensuite, ils viennent le dresser fièrement au centre du village. Un drapeau est souvent installé au sommet et la décoration est complétée par d'autres couronnes feuillues qui encerclent le tronc. Plus haut pointe la cime, plus grande est la fierté des villageois. Cette tradition est parfois aussi utilisée pour d'autres grands événements marquants, comme un mariage ou une naissance.

D'un arbre à l'autre, j'arrive trop rapidement à la frontière croate. Je dois déjà laisser la Slovénie et ses habitants derrière, mais je me promets de revenir visiter plus longuement ce pays coup de cœur.

Au pied des Alpes, la capitale slovène Ljubljana se prépare pour la nuit.

ENTRE DEUX EUROPES

CROATIE

Bien qu'elle fasse partie de l'Union européenne depuis 2013, la Croatie n'est toujours pas intégrée à l'espace Schengen, un territoire de libre circulation des personnes entre les États signataires de l'accord du même nom – soit une bonne partie de l'Europe – et qui a pris effet en 1995. Je dois donc tendre mon passeport lorsque j'arrive à la douane au détour d'une route secondaire. Je m'attends à y recevoir mon premier tampon depuis mon entrée en France.

« Vous ne pouvez pas passer ici, vous n'êtes pas Européen ! »

Le trop jovial douanier me présente deux options et me pointe les différentes directions. Au sud, je peux rouler jusqu'à un autre poste frontalier situé sur une autoroute à une vingtaine de kilomètres. Plus près à l'ouest, je peux revenir sur mes pas vers la gare du village que je viens de passer. De là, je pourrais prendre le train vers la prochaine gare. Mon passeport y recevrait le tampon nécessaire, puis je pourrais continuer à vélo après la frontière.

Je choisis l'option ferroviaire… et je note la leçon. Je devrai à l'avenir faire de meilleures recherches préalables concernant mes entrées dans les pays.

*

À Zagreb, la capitale, au nord de la Croatie, les routes sont striées de larges et profondes rainures utilisées pour la circulation des tramways. J'enfonce maladroitement mon pneu avant dans l'une d'elles et je m'écrase de tout mon long sur les pavés du centre-ville. Je comprends alors pourquoi presque tous les vélos circulent sur les trottoirs.

J'y embarque à mon tour. Les piétons, habitués au chaos, gardent leur calme et leur ligne droite malgré les vélos qui zigzaguent un peu partout autour d'eux. Il existe ici une intense connexion visuelle entre les marcheurs et les cyclistes. Les regards de ces derniers semblent rassurer chaque passant qu'il n'y aura pas de collision, et permettent de garder l'harmonie dans cette mêlée aux airs de grand ballet urbain.

Quelques jours plus tard, alors que je m'éloigne de la ville, une voiture ralentit et s'arrête à mes côtés. Les passagers se présentent : Robert et sa mère, Milka – « Comme le lait ! » me précise-t-elle.

Le quadragénaire chauve et trapu m'indique qu'ils habitent Cologne, dans l'ouest de l'Allemagne, depuis plusieurs années. Ils gardent cependant la maison familiale en banlieue de Zagreb comme résidence secondaire. Son salaire allemand lui permet de payer ces deux maisons plus facilement qu'une seule avec seulement des revenus croates.

Robert veut savoir où je dors durant mon périple. « Le plus souvent dans ma tente... sauf quand des gens m'invitent chez eux », lui ai-je répondu avec un clin d'œil. Mission accomplie, il m'invite chez lui.

Mon hôte est aussi cycliste. Il vient d'ailleurs tout juste de terminer la route de Cologne à Zagreb... en six jours! Parcourant de 210 à 250 km quotidiennement sur un vélo de montagne, il ne s'arrêtait que pour dormir à l'hôtel. J'ose à peine lui avouer que la même distance m'a pris plus d'un mois!

*

Vers le sud à travers les terres croates, je constate rapidement une plus grande pauvreté dans les villages. Les maisons sont moins bien finies, les infrastructures moins développées. Ici et là, des enfants me quémandent de l'argent. Et alors que je termine le lunch que Milka m'a offert la veille, je suis troublé par la vue d'un garçon d'une douzaine d'années en train de renifler de l'essence dans une vieille bouteille de Coca-Cola.

Il semble qu'en l'espace de quelques jours je sois passé d'une Europe à une autre. D'une Europe de l'Ouest où les pistes cyclables, les luxueux vélos de route et les vacances sont la norme, à une Europe de l'Est où trouver un emploi est plus difficile, les salaires moins généreux, et où traverser des continents à vélo pour le plaisir relève certainement d'une autre réalité.

AVENTURES SUR LA 440

BOSNIE-HERZÉGOVINE

Je traverse le nord de la Bosnie-Herzégovine en direction sud vers Sarajevo lorsque j'arrive à une bifurcation de la route. Je peux continuer dans un grand détour vers l'est via une autoroute, ou emprunter la route R440, plus droite et plus courte d'une centaine de kilomètres.

Après avoir sillonné les Alpes enneigées, je commence à prendre confiance en mes qualités de cycliste d'aventure. Et j'ai la hardiesse de croire que je peux parcourir n'importe quel type de chemin. Autant par paresse que pour éviter la monotonie et la circulation d'une voie rapide, je prends le pari de la ligne droite.

Monte, descend, monte, descend... La route intègre progressivement un paysage de collines. Ma peau chauffe agréablement sous le doux soleil de l'avant-midi pendant que je roule mes pneus sur un bel asphalte. Ça avance bien.

À gauche comme à droite, mon regard se porte sur des flancs de montagnes où des édifices délabrés sont de plus en plus disséminés. La moitié des bâtiments semblent avoir été laissés à l'abandon en raison de la guerre civile qui a déchiré la Yougoslavie dans les années 1990. Plusieurs d'entre eux n'offrent plus qu'une enveloppe extérieure de blocs de béton. Ces constructions inachevées témoignent brutalement de la rapidité des événements.

Dans un autre petit village, je passe devant une école primaire qui elle aussi a l'air abandonnée, mais qui ne l'est pas. La vie semble ici très difficile, et je dois me rappeler que je suis toujours en Europe. Pour beaucoup de gens de cette région, je m'aperçois que l'eau n'est accessible qu'à l'aide d'une pompe manuelle à l'extérieur, et que l'herbe se coupe à la faux.

Seul et entouré de collines, je m'arrête prendre un bain dans une rivière glacée. Je repars tout propre sur du bitume qui s'arrête peu après pour se transformer en gravelle, puis en grosses roches. L'inclinaison devient tellement prononcée que je dois mettre pied à terre. Je pousse ma monture d'acier de toutes mes forces simplement pour continuer à avancer. Rapidement couvert de sueur et de poussière, je me dis que j'aurais aussi bien pu ne pas me laver.

Dans cette montée en lacets, une vingtaine de moutons sursautent soudainement devant moi et prennent leurs petites jambes laineuses à leur cou. N'ayant pas d'autre chemin pour les contourner, je continue mon ascension derrière le troupeau qui s'enfuit.

Après quelques centaines de mètres de cette lente poursuite, j'entends au loin les sifflements aigus du berger qui vient de se rendre compte de la disparition de ses bêtes.

Je regarde en contrebas et vois sa tête se balancer lentement alors qu'il monte à travers les herbages du champ montagneux. Les moutons semblent ne pas pouvoir choisir entre l'envie de rejoindre leur maître et la peur de marcher vers moi, maintenant immobile au milieu du chemin avec ma bécane.

Pris de remords d'occasionner des problèmes au berger, je me demande encore quoi faire lorsque son chien arrive de nulle part et se met à japper de toutes ses forces juste à côté de moi! Je lâche un grand cri de surprise et de frayeur. Plus rien ne sert de me cacher, je suis tout à fait découvert. Pendant que les chiens reprennent le contrôle du troupeau, je salue le fermier épuisé en esquissant une moue confuse et je continue de pousser mon vélo.

Plus en hauteur, je passe devant une bécosse en retrait d'une maison. Une vieille femme est accroupie, la robe relevée, la porte ouverte. Mon regard fatigué croise le sien. Surprise, elle lève les sourcils et claque la porte en moins de deux. Décidément, en plus de ma rencontre avec les moutons, je ne passe pas inaperçu!

Pour éviter de causer plus d'ennuis, je passe la nuit la tente cachée entre quelques cabanes de bois abandonnées et décrépites. Seuls les chiens du berger se doutent de ma présence. Je m'endors en entendant leurs aboiements lointains.

*

Au moins, la pluie a cessé... pour le moment!

Au matin, les conditions sont loin de s'améliorer. La roche de la route laisse place à de la boue qui envase mes souliers jusqu'aux chevilles. Plus j'avance et plus j'ai l'impression de remonter dans le temps.

Déjà, la veille, les fermes minuscules et les habitants généralement assez âgés travaillaient le sol sans équipement. La terre se laboure au râteau et les semences se plantent à la main. En cet avant-midi brumeux, comme pour me confirmer cette impression de voyage temporel, un vieil homme tout droit sorti des *Filles de Caleb* me rejoint et arrête sa calèche.

Le Bosnien commence à m'expliquer en beaucoup trop de mots que je ne serai pas capable de faire cette route à vélo. Que je devrais plutôt revenir sur mes pas. Je tente de lui répondre en utilisant les trois mots que je connais et une profusion d'onomatopées et d'expressions faciales.

« J'ai déjà souffert assez pour monter ici. Il n'est pas question que je revienne sur mes pas pour ensuite aller me taper 100 km de plus… »

Mais le caléchier ne me comprend pas. Je cherche à identifier ce qui le tracasse pour moi. Je pointe l'eau, la boue, la roche. Il me fait signe que oui à chaque élément.

Commençant à douter de mes capacités à choisir une route, je continue néanmoins de pousser mon vélo et mon lourd barda dans la boue.

Je réussis enfin, épuisé, à parvenir au sommet. Mais la descente de l'autre côté est tellement accidentée qu'il n'est toujours pas question de repos. Cela prendrait un vélo de montagne plutôt qu'un vélo rigide chargé de sacoches ! Descendant lentement avec les mains sur les freins, j'arrive au clou d'un spectacle inattendu... La rivière a tellement débordé que la route même est devenue la rivière !

Pensant à mon attirail électronique, je préfère ne pas risquer de rouler dans ce fort courant, sur des roches instables. J'enfile donc mes sandales et j'accroche mon vélo en portage.

Après cette rivière, le chemin s'améliore enfin un peu. Depuis le matin, cela m'aura pris six heures pour parcourir 12 km. Éternel optimiste, je me dis qu'au moins il ne pleut pas.

Trois minutes plus tard, un effroyable déluge s'abat sur moi pour le reste de la journée...

Transi, mouillé, affamé, je m'arrête en fin d'après-midi au premier restaurant que je croise. Je ne négocie même pas les 20 euros exigés pour dormir à l'hôtel adjacent. Sarajevo m'attendra bien une journée de plus. Moi qui souhaitais éviter la monotonie de l'autoroute, j'aurai été bien servi !

ENFANTS DE LA GUERRE

BOSNIE-HERZÉGOVINE

«Sarajevo est connue pour ses deux guerres et la tenue des Jeux olympiques de 1984», nous rappelle Neno, le jeune guide qui dirige le tour de ville piétonnier auquel je prends part. «Nous espérons avoir d'autres Jeux olympiques pour au moins ramener ça égal!»

Visiter Sarajevo, la capitale de la Bosnie-Herzégovine, c'est en effet constater la guerre de près. C'est en son centre que l'archiduc François-Ferdinand de Habsbourg a été assassiné en 1914, entraînant l'Europe, par un jeu d'alliances, dans la boucherie de la Première Guerre mondiale. Mais c'est surtout la guerre de Bosnie-Herzégovine, dans les années 1990, qui demeure aujourd'hui présente dans les mémoires... et sur les murs de la ville où l'on aperçoit encore les innombrables trous de balle des tireurs d'élite.

Neno est maintenant guide touristique dans sa ville natale. Il n'était qu'un enfant durant cette guerre qui a fait rage de 1992 à 1995. Durant 44 mois, pendant le long siège de Sarajevo, il a vécu reclus dans un sous-sol avec sa mère et plusieurs autres familles, dans l'espoir d'éviter les tirs et les bombardements quotidiens.

Il faut revenir un peu en arrière pour comprendre comment une ville si cosmopolite et prospère a pu arriver à un tel degré de sauvagerie, sous le regard presque indifférent de l'Europe.

Après la Seconde Guerre mondiale, suivant le retrait des nazis du territoire, le leader de l'armée de libération, Josip Broz Tito, met sur pied le regroupement des Slaves du Sud («Yougo» signifiant «sud»), constitué d'un amalgame de peuples qui se retrouvent aujourd'hui dans sept pays: la Slovénie, la Croatie, la Macédoine, le Monténégro, la Serbie, le Kosovo (bien que plusieurs États ne reconnaissent pas son indépendance) et la Bosnie-Herzégovine. Il fonde ainsi la République fédérative populaire de Yougoslavie, une république à parti unique communiste. Cette courtepointe culturelle tient jusqu'à la mort du dictateur Tito, en 1980.

La décennie suivante, qui se termine par la chute du communisme en Europe à partir de 1989, fut marquée par la montée rapide de plusieurs partis nationalistes et par des tensions économiques entre les différentes régions. Slobodan Milošević, nouveau leader de la Serbie, tente d'augmenter les pouvoirs de son peuple au sein de la Yougoslavie. Les républiques voisines se mettent en même temps à déclarer leur indépendance: la Slovénie et la Croatie en 1991, la Macédoine et la Bosnie-Herzégovine en 1992.

Mais cette dernière, peuplée de Croates catholiques, de Serbes orthodoxes et de Bosniaques musulmans, est elle-même un concentré de cultures et de religions. Les Serbes de Bosnie-Herzégovine – le tiers de la population – refusent la déclaration d'indépendance,

Presque 25 ans après la fin de la guerre, plusieurs édifices de Sarajevo portent encore aujourd'hui de profondes meurtrissures causées par les balles.

ambienta

et souhaitent demeurer au sein de la Yougoslavie, sous le drapeau d'une République serbe de Bosnie, la « Republika Srpska » (prononcé « Seurpska »).

En mars 1992, le gouvernement proserbe d'une Yougoslavie déjà déchirée refuse la sécession de la Bosnie-Herzégovine. Le 6 avril suivant, au nom de la protection de la population serbe, Milošević, à l'aide de l'armée nationale yougoslave et des Serbes de Bosnie qui habitent autour de la ville, assiège Sarajevo.

Postés sur les magnifiques montagnes encerclant la cité, les assaillants ont comme objectif d'asphyxier la capitale bosnienne jusqu'à ce qu'elle se rende. L'eau est coupée, et la population peut à peine se déplacer sans risquer de se faire descendre par des tireurs d'élite invisibles. Les gens se mettent à cultiver leurs parcelles de terrain pour se nourrir et à établir des itinéraires complexes leur permettant d'échapper aux tirs.

C'est dans cette atmosphère que Neno a grandi. Sous terre en compagnie d'enfants de toutes confessions, au sein de cette Sarajevo si multiethnique qu'on la surnomme la Jérusalem d'Europe. Ensemble, ils vivent, jouent et apprennent. Leur prétendue école occupe une pièce où la lumière du soleil peine à traverser de petits carreaux sales. Leur quotidien est constitué de beaucoup de privations et de rares joies.

Un jour, sa mère, qui refuse d'abandonner l'idée d'une enfance normale pour son fils, risque sa vie pour lui trouver une tablette de chocolat, qu'elle troquera contre ses boucles d'oreilles en or.

Neno se souvient de ce moment comme s'il s'était déroulé la veille. C'est à voix basse qu'il me confie l'émotion de cette première bouchée qui goûtait le ciel. « Lentement, j'ai déposé sur ma langue le premier morceau de chocolat que ma mère me tendait si sérieusement. La saveur a frappé mes papilles comme un feu d'artifice ! » Dans la demi-obscurité du sous-sol, le goût sucré, amer et profond du cacao donne des frissons au gamin de sept ans. Quelques secondes intenses passées trop rapidement et dont il se souviendra toute sa vie. Ses esprits retrouvés, il partage ensuite le reste du chocolat avec ses amis.

Pendant que les adultes tuent la ville à petit feu à l'extérieur pour des questions raciales, ces jeunes de tous les milieux, privés de lumière et de leur enfance, se mettent à communier ensemble au cacao de Neno.

Au fil des années, les assiégés gardent espoir et font preuve d'une résilience hors du commun. Un concours Miss Sarajevo est organisé en 1993, ainsi que quelques festivals de cinéma, de musique et de danse.

Après 1425 jours – presque 4 ans ! –, les Américains et les forces de l'OTAN libèrent enfin la ville. Une constitution est rapidement écrite visant à mettre fin aux combats. La Bosnie-Herzégovine alors créée est probablement aujourd'hui l'un des pays les plus complexes du monde à administrer. Il s'agit d'une République fédérale formée elle-même d'une autre fédération comprenant des cantons croates et bosniaques, et de la République serbe de

Bosnie. À la tête du pays se trouvent trois présidents élus respectivement par les trois peuples du pays. Chacun d'eux exerce à tour de rôle un mandat de huit mois.

Stupéfait, je demande à Neno comment un tel système peut fonctionner. Mon guide laisse transparaître pour la première fois une faille dans son positivisme. Il laisse tomber sa réponse dans un soupir : « Cela ne fonctionne pas… »

Vingt ans après cette guerre fratricide, j'aimerais croire en la réconciliation, mais je crains que les frontières aient été tracées trop rapidement. Le massacre a cessé, mais les tensions de cette cohabitation multiculturelle demeurent tristement présentes.

Le drapeau de la République serbe de Bosnie flotte avec fierté sur tout son territoire, et je croise de jeunes adultes insistant avec conviction sur le fait que je me trouve en Republika Srpska et pas en « vraie Bosnie ». Et pourtant, cela n'est rien en comparaison à des phrases assassines d'intolérance, comme celle de ce prêtre orthodoxe qui m'avoue « toujours détester les Bosniaques » et que « rien n'a changé ».

Je ne peux que souhaiter à Neno et à sa magnifique ville de nouveaux Jeux olympiques. Mais, surtout, je nous souhaite à tous de comprendre que notre origine géographique, notre langue ou notre religion ne valent jamais la peine de ne pas apprendre à nous connaître et à nous respecter. Durant 44 longs mois, les enfants de Sarajevo l'ont démontré au quotidien.

La vie est faite pour partager du chocolat, pas pour se battre.

25 ANNÉES DE VÉLO DANS LE CORPS

BOSNIE-HERZÉGOVINE

Je suis en train d'appuyer mon vélo au mur à l'entrée d'une épicerie de la petite ville médiévale de Višegrad, aux portes de la Bosnie-Herzégovine, lorsqu'un homme m'aborde. « Tu te déplaces à vélo ? » L'homme, au début de la cinquantaine, m'apprend avoir lui-même atteint la ville par la force des mollets. Je m'enquiers de son voyage.

« Quelle est ta destination ?
– Oh, je n'en ai pas vraiment, je me promène depuis presque 25 ans », répond-il.

Pardon ?!

L'homme s'appelle Yves. Avec sa barbe hirsute poivre et sel, le Lyonnais d'origine a quitté la France après ses études, annonçant à sa famille et à ses amis qu'il serait de retour au pays dans six mois.

Il revient sept ans plus tard.

Nous sommes alors au cœur des années 1990. Sur la route, il n'y a pas d'internet pour communiquer, pour faire des recherches, pour trouver son chemin. Muni uniquement de cartes papier, d'un lourd vélo et de beaucoup de volonté, Yves sillonne de fond en comble l'Europe et l'Asie.

Il reste peu longtemps en France après son retour et se dirige rapidement vers New York, où il alternera les expéditions (à vélo) et un travail de taxi… à vélo ! Il économise en même temps, revient à Lyon et s'y achète un appartement. Mais au lieu d'y habiter, il le loue peu après et part pour un nouveau périple invraisemblable de deux ans : la traversée du continent africain du nord au sud.

Près de 25 ans après son premier départ, c'est durant un nouveau voyage eurasien sans réelle destination que je fais sa rencontre.

Yves me raconte tout cela assis à un café voisin de l'épicerie. Il a commandé un café turc, j'ai fait pareil. Cette spécialité a la particularité de garder le grain moulu tassé au fond de la petite tasse. Passionné par les histoires d'Yves, et buvant pour la première fois ce type de boisson, je m'étouffe lorsque j'engouffre sans trop réfléchir une pleine gorgée de marc de café.

Je suis encore loin du calibre du globe-trotter rigolant devant moi.

Au fil de ses longs voyages, mon nouvel ami a passé la majeure partie de sa vie à dormir dans sa tente et chez l'habitant. Il a admiré les crépuscules de l'Allemagne à l'Irak, serpenté l'Afrique et exploré des pays qui effraieraient les touristes les plus hardis.

À l'une de mes questions, il répond ne pas se souvenir s'être déjà fait voler. Mais une anecdote lui revient, devant mon insistance. « On m'a réclamé mon passeport à la pointe d'une mitraillette Kalachnikov près du *no man's land* entre l'Éthiopie et le Kenya, en Afrique de l'Est. Je m'en suis sorti pour 10 $. »

Bien sûr, c'est le genre de souvenir qu'on oublie facilement !

Je partage avec lui certaines de mes (pâles) aventures en Bosnie, notamment la fois où j'ai trouvé spécial de dormir à l'étage d'une maison abandonnée. Il me répond humblement l'avoir fait souvent aussi. « En plus, c'est beaucoup plus sécuritaire aujourd'hui que lors de mon dernier passage, en 1998. Plusieurs maisons contenaient encore des mines après la guerre. »

Au cours de cette conversation, nous parlons d'itinéraires, d'aventures, du plaisir de rouler seul avec ses pensées. Et beaucoup de la générosité rencontrée chez des étrangers. Jamais il ne m'a posé cette question qui revient normalement sans cesse dans toute discussion : que fais-tu comme travail dans la « vraie vie » ?

Normal. Pour Yves, la vraie vie est sur la selle. Le reste n'est qu'une façon de gagner assez d'argent pour pouvoir y retourner. La vraie vie, j'y suis présentement, et la façon dont je troquais auparavant mes heures en échange d'un salaire lui importe assez peu.

Une question me trotte cependant dans la tête. « Il ne t'arrive jamais de tomber en amour ou de vouloir te poser quelque part ? » Il me répond par l'affirmative, mais précise qu'il finit toujours par poursuivre son itinéraire. Je suis perplexe. Après tout, personne d'autre que lui-même ne lui impose ces objectifs de distances ou de destinations.

Yves m'inspire énormément. En même temps, sa rencontre me porte à réfléchir à mes propres rêves et capacités. Pourrais-je tenir le coup pendant 25 ans ? J'ai peine à l'imaginer. En aurais-je même le goût ? Arriverais-je à échanger une famille, des amis proches et un confort matériel contre une totale indépendance, la découverte de l'autre, du monde et de ses paysages ? Le choix est cruel.

Yves a choisi tout au long de sa vie le chemin de l'aventure. Mais lorsqu'il répond en un mot à ma dernière question, je comprends que la décision n'en est pas moins jamais devenue automatique ou facile. Et qu'il fait face à la même réalité que nous tous.

« Qu'est-ce que tu trouves le plus difficile, Yves ?
– Partir. »

Partout en Bosnie-Herzégovine, on trouve bon nombre de maisons à l'abandon ou à demi-construites. Je m'en suis parfois servi comme abri, mais en ayant toujours tristement en tête que les propriétaires avaient peut-être été assassinés…

EN FAMILLE

SERBIE / BULGARIE

Essoufflé et en sueur, j'entre avec mon vélo dans l'aéroport de Sofia, en Bulgarie. Cinq minutes avant l'arrivée de mon frère, Sacha.

Le rendez-vous avait été fixé il y a déjà plusieurs mois, au moment de planifier ses vacances annuelles.

Mais avec mes pérégrinations dans les Alpes et en Bosnie-Herzégovine, je ne m'étais laissé que six jours pour traverser la Serbie et le début de la Bulgarie. J'ai dû mettre les bouchées doubles et accepter de ne pouvoir visiter toutes ces villes aux noms compliqués: Užice, Kraljevo, Kuševac, Niš. Presque sans ralentir, j'ai roulé sur une large autoroute en fin de construction, traversé des dizaines de tunnels en montagne, et plusieurs villages. Le matin même de son arrivée, je me trompe de direction en partant d'une station-service. Je roule plus de 10 km avant de réaliser que je suis en train de revenir sur mes pas. Je repars cette fois dans la bonne direction et débarque *in extremis* à l'aéroport.

Sacha me cherche du regard dans l'entrée, tenant dans ses mains la grosse boîte en carton contenant son vélo. Son regard s'illumine lorsqu'il me voit: «Tu es là!» «Évidemment que je suis là, que je lui réponds en le prenant dans mes bras. Je n'aurais pas manqué ton arrivée!»

*

Mon frère est de presque cinq ans mon cadet. Depuis les expéditions familiales de quelques jours à vélo de notre enfance, nous n'avons jamais voyagé ensemble.

Nous commençons donc doucement et prenons une première journée pour visiter la capitale bulgare. Nous apprenons que Sofia a été baptisée en l'honneur de sa basilique Sainte-Sophie, immense église byzantine datant du 6e siècle située au centre de la ville.

Nous ne passons pas inaperçus lorsque nous prenons la route de la campagne vers l'est. Sacha prend rapidement goût à saluer les nombreux habitants qui nous envoient la main ou qui lèvent leur pouce en signe d'encouragement. Plus tard, nous croisons ici et là des jeunes femmes seules sur le bord de la route et les saluons aussi avec un grand sourire.

Cependant, je commence à me poser des questions après la troisième ou la quatrième de ces demoiselles solitaires. Elles sont beaucoup trop bien habillées, elles n'ont pas de voiture et il n'y a aucune station d'autobus à proximité. Elles semblent pourtant étrangement attendre quelque chose. J'allume! Depuis 20 km, nous saluons avec effusion toutes les prostituées de la Bulgarie…

G UNIT
GANGS
DMX
NIGGA

Je l'avoue, mon frère et moi avons choisi cet emplacement en bonne partie dans le but de pouvoir nous vanter d'avoir dormi sous un pont!

Les panneaux routiers sont ici souvent bilingues. Pratique, car l'écriture latine nous aide à déchiffrer la graphie cyrillique. Cet alphabet est aujourd'hui utilisé par plus de 250 millions de personnes, de la Serbie à la Mongolie en passant par l'immense Russie. Il forme la base de plus d'une cinquantaine de langues, et a été inventé ici même en Bulgarie.

Au 9e siècle, l'Église catholique ne reconnaissait comme langues religieuses légitimes que le latin, le grec et l'hébreu. Sous l'influence de Cyrille et de son frère Méthode (qui se verront plus tard tous deux attribuer le titre de saint), le pape accepta l'usage du vieux slave comme nouvelle langue liturgique. Le coup de génie, imaginé par Cyrille et perfectionné plus tard par l'un de ses disciples, aura été de créer une écriture qui représente les riches particularités des sons slaves, en s'inspirant des lettres grecques et hébraïques, déjà acceptées par l'Église. C'est ce qui explique que l'alphabet russe d'aujourd'hui, formé de 32 lettres, nous semble à la fois familier et mystérieux.

Mon frère et moi déchiffrons ainsi un écriteau annonçant que nous entrons à Plovdiv. La deuxième plus grande ville de Bulgarie est aussi la plus ancienne toujours habitée d'Europe. Même Athènes possède une histoire plus courte que celle de Plovdiv, qui, pour cette dernière, remonte à aussi loin que le 6e millénaire av. J.-C., à l'époque néolithique.

On trouve au centre-ville de Plovdiv une arène romaine, et des ruines de la même époque surplombent l'une des collines de la ville. Malgré cette richesse, les Bulgares demeurent perplexes devant un touriste qui manifeste son intérêt à parcourir leur pays. Là où les Slovènes me remerciaient avec fierté de les visiter, beaucoup de Bulgares nous demandent plutôt avec incrédulité pourquoi nous les avons choisis.

Comme nous nous trouvons dans l'un des seuls pays du monde qui inverse les signes de tête pour le oui et le non, c'est donc par des hochements de haut en bas que les gens nous manifestent leur incompréhension.

Et pourtant, nous leur expliquons que le paysage est beau le long de leur vieille plaine de Thrace. La grande vallée qui s'ouvre progressivement vers l'est repousse au loin les jolis massifs des Balkans au nord et des Rhodopes au sud. Les riches terres campagnardes sont colorées de fleurs et de céréales. On pourrait trouver pire comme destination à partager en famille.

À rouler et à fredonner en duo dans ces magnifiques paysages, je me dis que si c'est le premier voyage avec mon frère, ce n'est décidément pas le dernier.

Sacha me ramène à notre enfance heureuse :
pédaler, s'arrêter, jouer !

DIRECTION ASIE

GRÈCE / TURQUIE

À l'approche de la Turquie, mon frère et moi constatons que nous touchons presque le nord de la Grèce. Nous nous imaginons déjà installer à l'ombre de quelque acropole ou temple de Zeus et décidons d'y faire un détour avant d'entrer en Turquie.

Il faut croire que nous sommes beaucoup trop loin d'Athènes et des célèbres villes hellènes puisque la seule chose qui nous fera de l'ombre dans cette petite traversée grecque est un troupeau de moutons qui viendra épier notre déjeuner au matin. Nous rangeons notre campement et partons peu après sous l'œil amusé de leur berger.

À peine quelques kilomètres après notre entrée en Turquie, le changement culturel et architectural est radical. À Edirne, la campagne se transforme brusquement en chaos urbain. L'horizon est rempli de minarets, ces hautes et minces tours qui s'élancent à côté des mosquées. Les bazars à ciel ouvert débordent dans les rues, et les femmes sont partout dissimulées sous des voiles et de larges robes. La ville a beau avoir été fondée il y a près de deux millénaires par l'empereur romain Hadrien, son influence majeure lui vient aujourd'hui résolument de sa longue période ottomane. Au confluent de deux continents, nous avons l'impression de quitter l'Europe pour le monde mystérieux de l'Orient.

Les quelques jours suivants, nous les passerons à suivre la circulation sur l'autoroute D100 en direction d'Istanbul. Sa grande agglomération compte près de 15 millions d'habitants, et il est de plus en plus difficile de trouver des endroits où poser nos tentes. Sacha et moi nous retrouvons parfois dans des hôtels de qualité très variable, dont l'un qui comptait plus de moisissures que de peinture sur ses murs. Nous y dormons dans nos sacs de couchage.

La bande de terre qui mène au continent asiatique se rétrécit à mesure que nous avançons. Pris entre la mer Noire au nord et un accès à la Méditerranée via la mer de Marmara au sud, il est facile de comprendre l'importance historique et stratégique de ce coin du monde.

Nous traversons d'étroits ponts congestionnés et sans accotement. La circulation y est si immobilisée que des vendeurs d'eau commercent debout au milieu de la route. Pendant des dizaines de kilomètres, nous n'avons d'autre choix que de nous frayer un chemin parmi les camions de transport et les automobiles, et nous nous perdons parfois de vue derrière de hauts autobus. Heureusement, les deux frères sont aventureux et continuent de chanter par-dessus le bruit urbain. Nous atteignons finalement la vieille ville d'Istanbul sains et saufs.

Aux portes de l'Asie, c'est déjà la fin du périple cycliste de mon cher frère. Ces souvenirs hors du commun partagés avec lui resteront gravés en nous toute la vie. Je l'enlace une dernière fois, et le laisse repartir vers sa vie canadienne. Puis je me tourne de l'autre côté, en direction de l'Asie. J'ai devant moi le plus grand des continents à traverser.

Malgré ma traversée rapide de la Serbie, je prends quand même le temps de m'arrêter pour discuter avec ce sympathique habitant de Trstenik, au centre du pays.

Sacha et moi avons partagé des moments privilégiés, nous sentant explorateurs, roulant vers l'inconnu et passant des soirées dans des lieux où la vue ne cessait de nous surprendre. Ici devant l'horizon, au nord de la Grèce.

ASIE DE L'OUEST

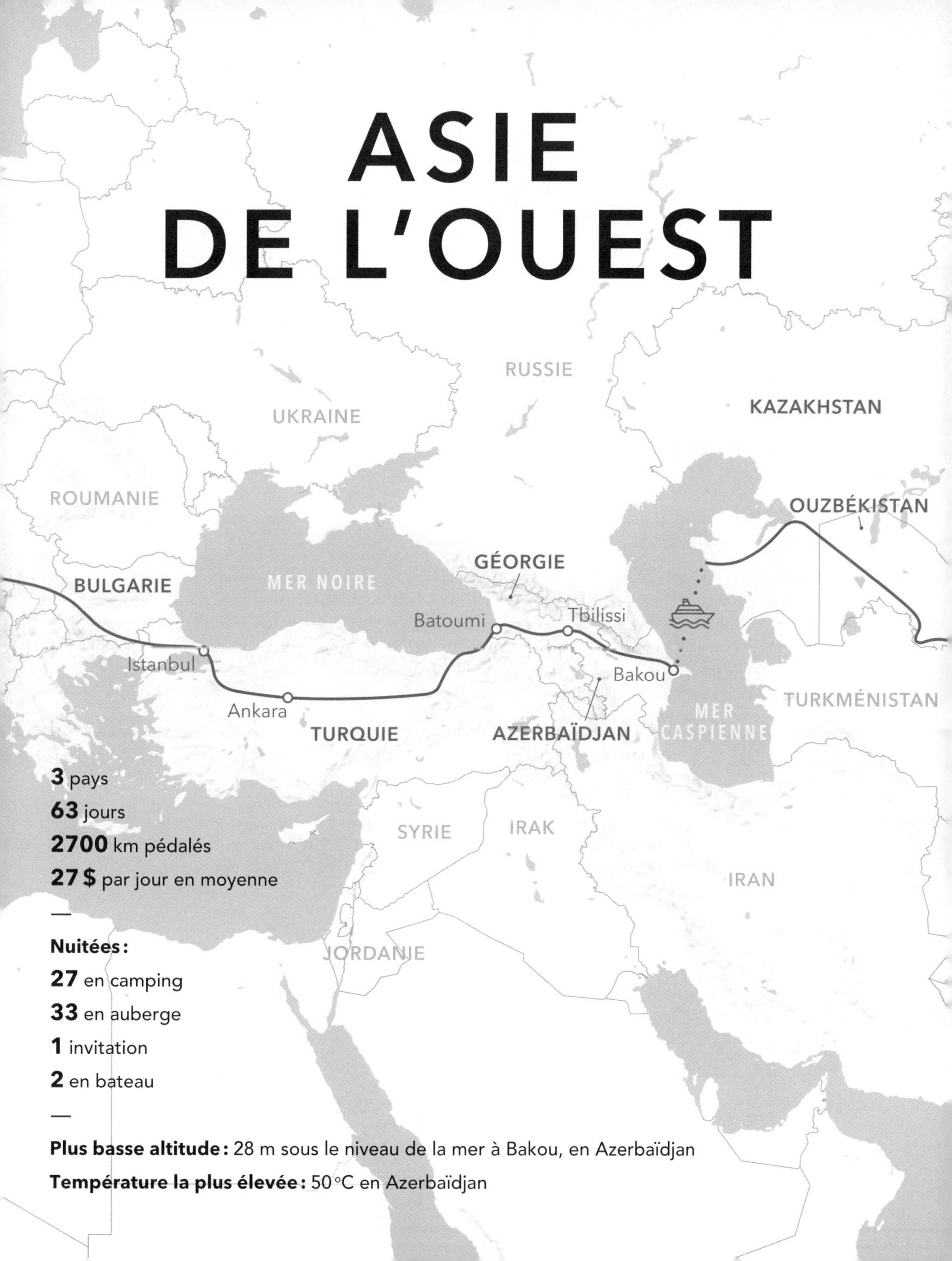

3 pays

63 jours

2700 km pédalés

27 $ par jour en moyenne

—

Nuitées :

27 en camping

33 en auberge

1 invitation

2 en bateau

—

Plus basse altitude : 28 m sous le niveau de la mer à Bakou, en Azerbaïdjan

Température la plus élevée : 50 °C en Azerbaïdjan

ISTANBUL, AU CENTRE DE L'HISTOIRE

TURQUIE

Istanbul. Le nom de cette capitale antique ayant vu passer tant de grandes civilisations fait naître une mosaïque d'adjectifs. La ville est à la fois historique et moderne, calme et bourdonnante, riveraine et montagneuse, européenne et asiatique.

En un mot, Istanbul est tout, et elle est merveilleuse.

Cette dualité prend racine dans son histoire même. Fondée au 7e siècle av. J.-C. sous le nom de Byzance, puis renommée Constantinople à partir de l'an 330 (par l'imaginatif empereur romain Constantin), elle a successivement été tournée vers l'ouest en étant capitale de l'Empire romain d'Orient (les « Byzantins »), puis vers l'est en devenant celle de l'Empire ottoman jusqu'à la fin de celui-ci après la Première Guerre mondiale.

Elle a été de religion polythéiste romaine avant d'être catholique puis musulmane. Je visite l'exemple architectural le plus marqué de ces changements, et l'un des symboles les plus connus d'Istanbul : le musée Hagia Sophia. Construit comme une église en seulement cinq ans, et terminé en l'an 537, l'impressionnant bâtiment a été transformé en mosquée lors de la prise de la ville par les Ottomans, près de mille ans plus tard, en 1453. Comme la religion musulmane interdit la représentation d'Allah, des saints ou des prophètes (incluant Jésus), les images à l'intérieur de l'église sont alors remplacées par de la calligraphie arabe. Des minarets sont en même temps ajoutés à l'extérieur.

Les minarets entourant les mosquées jouent un rôle semblable aux cloches des églises. Cinq fois par jour, un imam invite les gens à la prière en récitant le plus mélodieusement possible un appel dans des haut-parleurs qui résonnent dans la ville. Alors que les plus petites mosquées turques ne possèdent qu'un seul minaret, la présence de quatre autour de Hagia Sophia symbolise l'importance qu'avait ce bâtiment religieux offrant la possibilité d'appeler dans toutes les directions à la fois.

C'est en 1934 que Mustafa Kemal, le fondateur de la Turquie moderne surnommé Atatürk (ou « père des Turcs »), transforme la mosquée Hagia Sophia en musée. Souhaitant se rapprocher de l'Europe chrétienne tout en respectant son pays à 98 % musulman, Atatürk décida que l'édifice historique ne serait ni une église ni une mosquée. Ce serait un musée qui combinerait des éléments des deux grandes religions ayant contribué à sa construction.

*

Je continue ma promenade en direction du grand bazar. Avec 18 portes permettant d'accéder à ses 4000 boutiques réparties sur sa soixantaine de rues intérieures, le marché est l'un des plus grands du monde et constitue presque une ville en soi.

Je me fraie un passage dans une foule dense, remplie de touristes et d'habitants locaux. Les complets côtoient les t-shirts, et les niqabs les culottes courtes. À l'intérieur et autour du bazar, les commerces débordent des rues dans d'innombrables échoppes où les vendeurs se font concurrence pour écouler autant des robes de mariage que des épices, des porte-monnaie que des équipements de sport, des bijoux que des tapis.

En soirée, je m'assois à une terrasse sur le toit d'un restaurant. Je laisse mon regard glisser sur les nombreuses toitures de tuiles rouges et orangées du quartier historique de Sultanahmet. Le coucher de soleil se reflète sur le Bosphore, ce détroit qui sépare l'Europe de l'Asie. Une dizaine de navires attendent leur tour pour passer de la Méditerranée à la mer Noire. Ils arrivent de l'Italie ou de l'Espagne, de l'Afrique du Nord ou même de plus loin, par-delà l'Atlantique. De l'autre côté du détroit, ils débarqueront leurs marchandises en Ukraine, en Russie ou sur la côte nord de la Turquie.

Les lumières s'allument sur la terrasse. Les différentes odeurs des épices multicolores provenant des marchés flottent dans l'air. Un serveur gravit les marches recouvertes d'un long tapis écarlate tissé à la main, une bouteille de vin français entre les mains. La ville n'est pas encore tout à fait l'Orient, mais n'est déjà plus l'Europe.

À un jet de pierre de l'Asie, Istanbul a la beauté de ces mélanges qui se retrouvent au confluent des continents, des religions, des civilisations. Je quitte le restaurant au moment où les dernières lueurs disparaissent du côté de l'Europe, pour mieux réapparaître demain du côté asiatique. Je ne peux m'imaginer une plus belle porte d'entrée pour rouler sur le deuxième continent de mon périple.

Hagia Sophia, l'église devenue mosquée puis musée.

KARAKOY BALIK

La tour de Galata, datant du 14e siècle, surplombe le paysage d'Istanbul.

CELLULAIRE ET FAMILLE ADOPTIVE

TURQUIE

La sonnette tinte lorsque je pousse la porte de la petite boutique de téléphonie cellulaire. Je viens d'arriver à Orhangazi, à une centaine de kilomètres au sud-est d'Istanbul.

Les sœurs Melek et Zehra sont au comptoir. La première a tout juste le temps de m'indiquer le prix pour l'utilisation mensuelle d'une carte SIM que j'aperçois déjà la sœur aînée revenir avec un plateau de thé et de biscuits.

Rapidement, notre conversation passe de la téléphonie à mon itinéraire puis à une invitation à souper dans leur famille. J'accepte volontiers.

Nous nous retrouvons donc dans une grande résidence de trois étages, nid de quatre générations vivant sous un même toit. En plus de Melek et de son jeune fils, les parents et la grand-mère occupent cette maison bâtie par la famille.

Je suis à peine arrivé que je vois progressivement de nouvelles personnes s'ajouter au clan. Le frère aîné de Melek et de Zehra débarque avec son épouse et leurs deux enfants. Puis arrivent de toutes les directions les voisins et d'autres enfants du village. Ma nouvelle carte cellulaire m'est utile pour traduire nos multiples conversations.

Il se trouve que c'est aussi la première journée du ramadan. Durant un mois, les musulmans pratiquants jeûnent toute la journée; ils ne mangent et boivent qu'après le coucher du soleil. Étant basée sur un calendrier lunaire, cette période varie d'année en année. Elle est cette fois en juin, pendant les plus longues journées de l'année. Les citoyens occupent alors leur jeûne à préparer les nombreux plats du soir.

Je demande à Melek si tous les invités sont rassemblés dans le but de célébrer ce festin à venir. Apparemment non. « Pourquoi y a-t-il autant de gens ici alors? » « Mais pour te rencontrer, Jonathan! » me répond-elle comme si c'était une évidence.

Je passe ainsi la soirée avec cette charmante et généreuse famille turque élargie. Une vieille guitare m'est tendue; je leur fredonne *Harmonie du soir à Châteauguay,* de Beau Dommage.

*

Le lendemain matin, je suis installé sur la galerie avec Efe, un enfant du village qui m'a impressionné la veille au souper en chantant du rap turc. Il est revenu déjeuner ici avant l'école pour pouvoir passer plus de temps avec moi. L'adorable jeune de dix ans est plus tranquille ce matin.

Assis, l'épaule contre mon bras, tout à côté de moi, il m'appelle *brother,* l'un des seuls mots anglais qu'il connaît. Nous conversons en écrivant tour à tour nos phrases sur mon téléphone. Ses grands yeux admiratifs alternent entre moi et ce que je lui écris. Efe est très triste de savoir que je poursuis ma route.

« Mais pourquoi tu ne restes pas ici ?
– Parce que j'ai le goût de visiter le monde.
– Pourquoi ?
– Parce que c'est mon rêve, Efe...
– OK, *brother,* je comprends. »

Mon cœur fond.

Quelques minutes plus tard, alors que je m'apprête à quitter ma famille d'accueil, l'adorable Sevim, la mère des deux sœurs, m'apprend avec émotion la dernière nouvelle. Une bombe vient d'exploser le matin même à Istanbul, dans le quartier où je me trouvais encore la veille. Déjà, on compte les morts et les blessés par dizaines. Sevim semble s'excuser au nom de son pays. Elle est inquiète pour moi, elle connaît la route qui me devance. Elle met sa main sur ma joue, non sans rappeler la douceur de ma propre mère, et pose son regard tendre dans mes yeux. Elle me prend dans ses bras.

Je tente de les rassurer, mais ne peux prédire l'avenir. La situation est tendue en Turquie depuis quelques années. L'afflux de millions de réfugiés par la frontière syrienne n'aide pas et différents groupes tentent d'en profiter pour créer de l'instabilité.

J'affirme qu'il y a toutefois davantage de bonnes personnes dans ce monde que d'illuminés fanatiques. Du bon monde comme eux tous, avec qui je me suis senti si proche sans même partager la langue ou la culture. Je fais une nouvelle ronde de longues étreintes avant de retourner pédaler.

C'est bien la première fois que j'entre dans un magasin de cellulaires et que j'en ressors avec une famille adoptive.

Les couleurs de cette longue route turque me chavirent le cœur. J'ai peine à croire en ma chance de traverser autant de paysages différents.

LA BÊTE

TURQUIE

Certains des paysages dans lesquels je m'installe pour la nuit ne manquent pas de grandiose. Au sommet de collines surplombant lacs, rivières et champs en fleurs, la vue est aussi belle que gratuite. Mais la majeure partie de mes nuits se passe plutôt à quelques dizaines de mètres de la route, plus ou moins bien caché entre la circulation et les habitations.

Comme cette nuit où, installé peu après la ville de Nallihan, je me réveille en sursaut dans la noirceur la plus complète. Encore à moitié endormi, j'entends pourtant clairement de longues et profondes respirations tout près de ma tête, à quelques centimètres seulement de l'autre côté du mur de nylon de ma tente. Sans faire un mouvement, je concentre mon écoute pour tenter de savoir s'il s'agit d'un humain ou d'un animal... Le silence de la nuit est alors déchiré par un grognement si puissant que j'en sens les vibrations dans tout mon corps.

Cette fois, je suis complètement éveillé !

Je suis étendu sur mon petit matelas, les yeux grand ouverts, et mon cerveau tourne en accéléré. Je laisse normalement ma nourriture à l'extérieur de ma tente. À l'intérieur d'une sacoche de vélo. Mais pas hier. Trop paresseux... C'est évident que les deux pleins sacs d'épicerie, à mes pieds, sont attirants pour les bêtes.

J'essaie d'identifier à quel animal j'ai affaire. Seul dans le noir le plus total, je sens la chaleur de son haleine... Ce n'est manifestement pas une marmotte. Peut-être un chien. Un gros sanglier ? Y a-t-il des sangliers en Turquie ? C'est peut-être un loup ? Mais je suis tout juste à la sortie de la ville, cela ne peut être un loup. Le grognement d'il y a quelques secondes résonne encore dans ma tête. Plus j'y pense, plus ça sonnait comme un alligator. J'essaie de me raisonner. Ce n'est sûrement pas un alligator. Jonathan, tu ne sais même pas comment ça sonne, un alligator !

Je me rappelle soudain que j'ai mon couteau avec moi dans la tente. Une seconde après, je me souviens qu'il est à l'intérieur d'un des sacs d'épicerie en plastique. Je n'ose étendre le bras pour le sortir de peur de faire trop de bruit...

Je ne sais durant combien de temps j'ai pu rester ainsi dans ma tente fragile, assis carré, les oreilles aux aguets, avant de me rendormir...

Jusqu'à ce que je me réveille de nouveau, trempé de sueur.

Je viens de rêver qu'un sanglier avait mon bras dans sa bouche ! Paniqué, je regarde autour de moi. Il fait toujours aussi noir, mais je suis pas mal certain qu'il n'y a pas de sanglier. Je me tâte le bras, il est toujours entier.

Mon cœur se calme.

Et à nouveau, tout à côté, j'entends la même respiration et le même grognement. Je n'en reviens pas, mon animal inconnu s'est-il maintenant endormi près de ma tente ?

J'aimerais avoir eu le courage d'ouvrir la porte de ma tente et d'y faire face. De terminer l'histoire en sachant ce que c'était. J'ai plutôt attendu patiemment le matin, éveillé derrière la protection de mes murs de toile.

D'après moi, c'était un alligator.

Le refuge d'oiseaux de Nallihan se découvre au détour du chemin comme un tableau au milieu d'une terre aride.

LES RÊVES DE HACI

TURQUIE

Un vieil homme debout devant sa maison usée me fait signe d'arrêter. Comme il me paraît sympathique, je ralentis et pose pied sur le bord de la route. L'homme s'approche lentement et m'aborde en parlant turc, que je ne comprends évidemment pas. Je lui demande s'il parle anglais. « *No English* », me répond-il avant de proposer une troisième langue. « Français ? »

En plein milieu de la Turquie rurale, je suis devant un ouvrier de 70 ans du nom de Haci qui m'invite chez lui en français. Un français très approximatif, mais quand même. L'occasion est trop belle, j'appuie mon vélo sur sa maison et descends quelques marches pour le suivre dans son atelier.

Avec beaucoup de patience et de gestes des deux côtés, je finis par en apprendre davantage sur Haci. Il me dit avoir résidé sept ans en France dans les années 1970, après y être déménagé au début de la vingtaine dans le but de trouver un meilleur emploi. C'est là, avec ses collègues de travail, qu'il a appris le français. D'abord dans une usine de plastique, ensuite à fabriquer des lunettes. Je n'en reviens pas qu'il puisse encore trouver ses mots presque 40 ans après avoir cessé de pratiquer la langue.

Mais il trouve alors la vie en France plus compliquée que prévu. S'intégrer n'est pas facile et le coût de la vie est élevé compte tenu de l'argent qu'il réussit à gagner. Il revient donc en Turquie avec l'espoir de fonder une famille. Aujourd'hui, il répare des tracteurs et de l'équipement agricole dans l'atelier sombre où nous nous trouvons, au sous-sol de sa maison.

Soudain, Haci remarque l'heure. Il coupe net notre discussion au milieu d'une phrase et déroule sur le sol du garage un tapis souillé de taches d'huile. Il cesse totalement de me porter attention et commence à prier à genoux sur son tapis, la tête orientée vers le sud en direction de La Mecque. Debout à quelques mètres de lui, je ne sais trop quoi faire en attendant. Je demeure immobile et silencieux pendant ces quelques minutes de prière.

Nous nous assoyons ensuite à son bureau, dans un coin de l'atelier, pour reprendre la conversation. Je demande à mon hôte, inspiré par mon propre voyage, s'il a lui-même un rêve, quelque chose qu'il aimerait accomplir. Il ne me répond que par un seul mot : « Fini. » Je tente de comprendre s'il veut dire qu'il est trop vieux pour rêver ou s'il a déjà réalisé ses ambitions. J'ajoute : « Et avant ? »

Il précise sa pensée : « Avant, beaucoup travail, mes garçons. » Je sais déjà qu'il a eu deux fils qui doivent maintenant être dans la fin de la trentaine. J'imagine qu'entre le temps passé à gagner difficilement de l'argent et à s'occuper de sa famille, il n'a pas eu beaucoup de temps à consacrer à ses rêves personnels.

Pendant quelques secondes, il me regarde en silence avec ses yeux doux entourés de rides, l'air de se demander s'il doit continuer à parler. Je l'encourage d'un sourire. Il ouvre alors un tiroir de son bureau et en sort une feuille de papier. Il y écrit le mot *asker*. Je consulte le dictionnaire sur mon téléphone : le mot turc est traduit par « soldat ». Je lui fais un signe de tête pour lui indiquer que j'ai compris. Il poursuit son explication.

« Mon garçon… parti *asker*… ici non », me dit Haci en hochant négativement la tête, la bouche un peu crispée. Puis il dépose lentement sa tête de côté dans sa paume, comme s'il dormait, et il ajoute « mort ». Son fils a perdu la vie dans l'armée turque.

Sur le même papier, il m'écrit un nombre : 1999. Comme si sa vie s'était arrêtée cette année-là, en même temps que celle de son fils. Il prononce l'année en français : « Quatre-vingt-dix-neuf », détachant chaque syllabe. Puis, avec sa bouche, il imite le bruit d'un coup de

Le pétillement dans les yeux qui naît des grandes joies s'est échappé du regard de Haci depuis longtemps.

vent tout en frappant ses mains l'une contre l'autre. Il ajoute deux mots qui répondent maintenant clairement à ma question : « *Hayal* [rêve], fini. »

Haci se lève de sa chaise et fait quelques pas dans son atelier. La conversation est terminée.

Sans doute pour changer l'ambiance, le mécanicien m'invite ensuite à faire le tour de son terrain. Il me montre son petit potager cultivé sur sa terre sablonneuse et quelques vieilles remorques rouillées qu'il est en train de réparer. Il s'enquiert de mon désir de rester à souper. J'accepte avec joie.

Après m'avoir demandé gentiment de troquer mon short contre un pantalon avant de rencontrer son épouse, nous passons à l'étage, par-dessus l'atelier. Le long de l'escalier, les murs sont jaunis, sales et craquelés. Nous parlons un peu au salon, orné de vieux meubles et de photos de ses fils. Avec émotion, il dépose l'une d'elles entre mes mains. Je constate, stupéfait, que le jeune homme en uniforme militaire me ressemble.

Nous passons ensuite à la salle à manger, franchement modeste avec ses deux divans appuyés contre les murs. Une table ronde et basse est roulée d'une autre pièce et déposée sur le tapis au centre. Haci me fait signe de m'asseoir sur le sol à côté de la table et fait de même. Son épouse est à la cuisine et fait des allers-retours pour apporter un par un les nombreux plats sur notre table. Puisque je suis un étranger du sexe opposé, elle ne mangera pas avec nous, comme c'est parfois le cas dans les familles musulmanes les plus pratiquantes.

Ramadan oblige, nous attendons le coucher du soleil avant d'entamer la nourriture devant nous. Les yeux rivés sur l'horloge, Haci cesse de parler à 20 h 15 et commence à manger à une vitesse fulgurante. Je n'ai même pas terminé ma soupe qu'il a enfilé son dessert.

Haci me reproche gentiment le fait qu'au Canada nous ne respectons pas le ramadan. « Canada manger toujours », me lâche-t-il, la bouche pleine.

Rassasié, mon hôte m'invite ensuite à rester à coucher, mais je décline cette fois son invitation. Je crois avoir eu assez d'émotions pour une journée. Je pars alors qu'il reste encore quelques lueurs dans le ciel.

Cette nuit-là, étendu dans ma tente, je ne peux m'empêcher de penser tristement à ce que Haci a partagé avec moi à propos de son fils, de sa peine et de sa difficulté à continuer de rêver. Je me dis que s'il ne rêve plus pour lui-même, il aura au moins aujourd'hui fait partie du mien et l'aura rendu plus beau.

LE VENT SOUFFLE DU COUSCOUS

TURQUIE

Depuis deux semaines, les journées se suivent et se ressemblent. Chaque matin, j'ouvre les yeux avec l'espoir que le dieu des vents aura tourné sa tête durant la nuit. L'espoir toujours déçu, je bataille pour chaque kilomètre. Je pédale même en descendant les côtes de ce plateau anatolien qu'on devrait plutôt nommer les collines anatoliennes. Avec une pauvre moyenne de 10 km/h, je m'arrête constamment afin de vérifier si mes freins ne seraient pas collés.

Mais tout n'est pas sombre. Alors que je prends une pause un midi, un homme dans une camionnette blanche s'arrête de l'autre côté de la route. Il me fait signe de venir le voir. Sans même échanger une parole, il me tend par sa fenêtre une boîte à lunch en carton. J'y découvre un incroyable repas de couscous et de saucisses. Un vrai festin pour moi qui cuisine chaque jour depuis des semaines les mêmes pâtes à la sauce tomate ! Le conducteur ajoute même un dessert et quelques petits jus en boîte dans mes bras déjà pleins de ses victuailles. J'en oublie le vent.

Le lendemain, la même monotonie se poursuit. En plus du vent contre moi, l'asphalte turc est mou et fond au soleil. Bien que ce bitume semble récent, il forme des ornières, se défait en petites pépites et colle aux pneus. Mentalement et physiquement épuisé, j'ai chaud et je me mets à rêver de barboter dans une piscine.

À cet instant, une camionnette blanche ralentit à côté de moi. Le même homme sort une autre boîte de sa fenêtre en souriant. J'ai l'impression de voir un mirage ! Juste au moment où j'avais un fort besoin de me ravitailler, mon sauveur me donne aujourd'hui deux goûters, d'autres collations et assez de petits jus en boîte pour remplir ma piscine imaginaire. L'homme au *pick-up* serait-il envoyé par le dieu des vents pour se faire pardonner ?

*

Après quelques mois sur la route, mon odomètre m'indique une étape importante : mon 5000e kilomètre. À travers la pluie française, la neige autrichienne, les routes bosniennes et le vent turc, je me sens devenir au fil des jours un véritable voyageur à vélo. J'ai peine à croire au chemin déjà parcouru et j'ose à peine imaginer ce qui se cache encore en avant. Je célèbre en buvant mon dernier petit jus cartonné.

À mes dernières gouttes du divin nectar sucré, comme si j'étais une troisième fois protégé, le vent change soudainement de côté pour me souffler dans le dos. Et je jurerais que la brise a une petite odeur de couscous.

Les imposantes collines du nord-est de la Turquie se parent de mille nuances de vert.

VACHES ET VEGAS

TURQUIE / GÉORGIE

Je me retrouve à Trabzon, en Turquie, après être passé par-dessus la haute chaîne pontique, ces montagnes qui forment presque un mur au nord du pays, le long de la mer Noire. La ville fondée au 7e siècle av. J.-C. a fait partie de nombreux empires et royaumes au cours de son existence.

En ce qui me concerne, je garde Trabzon dans ma mémoire non pas pour ses affrontements byzantins ou ottomans, mais plutôt parce que c'est la ville où j'ai bataillé ferme pour faire entrer un melon d'eau dans mon petit sac à dos…

En manque de fruits frais, je me suis peut-être un peu trop enthousiasmé au marché de la ville. Je réalise rapidement que la forme, la grosseur et la fragilité du melon m'empêchent de le transporter sur mon support à bagages. J'enfile donc les villages le long de la voie rapide vers la frontière géorgienne, la mer Noire à gauche, de hautes falaises à droite, avec une pastèque de près de 10 kilos sur le dos.

*

Le changement est aussi radical en sortant de la Turquie qu'il l'avait été à mon entrée. La toute petite Géorgie – un pays un peu moins étendu que le Nouveau-Brunswick – compte plus de 26 000 cours d'eau. Ses paysages verdoyants font du bien aux yeux. La Géorgie est aussi l'un des trois premiers pays à avoir officiellement adopté la religion chrétienne, dès le début du 4e siècle, avant même l'Empire romain. À l'horizon, les minarets turcs sont remplacés par les croix des anciennes églises.

Mais rien ne m'avait préparé à l'éclectisme de la ville de Batoumi. J'ai l'impression de voir un croisement entre Las Vegas, Nice et les terres agricoles de Sainte-Anne-de-Prescott, pas loin de chez moi en Ontario. Dans cette ville de 160 000 habitants – la deuxième du pays –, les vaches se promènent un peu partout en toute liberté. J'en vois quelques-unes brouter dans un parc pour enfants, d'autres profiter de l'ombre entre deux pompes d'une station-service. Des dizaines d'autres sont couchées directement au milieu de la rue.

À proximité des bovins, on trouve des hôtels de luxe, des casinos et des touristes chics venus de Turquie, du Moyen-Orient, de la Russie et d'autres anciennes républiques soviétiques. Ils viennent ici profiter de l'agréable climat, de la longue plage de galets et d'une toute nouvelle vie nocturne.

Afin de les accueillir, des bâtiments où la beauté côtoie de (très) près le kitsch ont poussé au cours des dernières années. Comme l'hôtel Sheraton, un hommage au phare d'Alexandrie, ou celui du Colosseum Marina, rappelant le fameux Colisée de Rome. Et ce restaurant méditerranéen qui tente de reproduire l'Acropole, de l'architecture jusqu'au nom.

Pourtant, même sans ces airs de fausse grandeur, la ville a beaucoup à offrir. Elle peut compter sur une histoire qui remonte aux plus vieilles légendes. On dit que c'est près d'ici que Jason et ses Argonautes auraient navigué pour trouver la Toison d'or. Plus tard, le sol verra passer les armées romaines, mongoles et perses. Puis, vers la fin du 19e siècle, le pétrole met véritablement Batoumi sur les rails alors que des familles comme les Rothschild et Nobel bâtissent un port et un chemin de fer afin d'exporter le brut vers la mer Noire et l'Europe. À cette époque, le cinquième de la production mondiale de pétrole passe par ici.

Le long de la mer, parallèle au long boulevard Batoumi qui s'étend sur plus de 6 km, on trouve aussi une belle piste cyclable. Tout est propre, manucuré, avec des arbres et des fontaines parfaitement espacés. Dans ce quartier du moins, tout respire la nouveauté.

Mais l'aventure m'attire plus que le *farniente*. Le camping plus que la vie de luxe. À la sortie de Batoumi, je passe une série d'étals de melons. Il doit y en avoir plusieurs centaines, de toutes les grosseurs et de différentes couleurs, à des prix dérisoires. Tiens, je vais m'en prendre un pour la route !

L'une des innombrables vaches broutant en liberté dans la ville de Batoumi, en Géorgie.

PETIT CAUCASE ET GENTIL STALINE

GÉORGIE

Deux routes se rendent de Batoumi à Tbilissi, la capitale géorgienne. L'une via une grand-route au nord, l'autre passant en altitude par la chaîne de montagnes du Petit Caucase, plus au sud. Je décide comme d'habitude d'y aller pour le défi, et je quitte le chemin principal pour la route panoramique.

Les montagnes, les routes étroites, le bétail que je dois contourner, tout cet environnement me rappelle la Bosnie-Herzégovine, mais sans les maisons abandonnées. Et comme dans les montagnes bosniennes, je laisse bientôt l'asphalte derrière moi pour continuer sur un chemin défoncé, fait de grosses roches et de boue.

J'avance péniblement. Je dérape sur le gravier et m'enfonce. Après plusieurs heures, ma vitesse moyenne n'atteint même pas 6 km/h ! Ce qui me laisse cependant amplement le temps d'admirer les champs de fleurs sauvages qui m'entourent. Du mauve au jaune, les couleurs sont éclatantes, et par-dessus une mer de verts vibrants se balancent de grandes marguerites d'un blanc immaculé. Un peu partout sur le flanc de ces collines sont parsemées des caisses en bois formant des ruches installées par les apiculteurs montagnards.

On raconte que 600 ans avant notre ère, les Grecs qui chassaient dans la région immergeaient leur gibier dans des amphores remplies de miel local afin de conserver la viande. Aujourd'hui, des vendeurs comme Murmani, hardi Géorgien d'une quarantaine d'années, offrent leurs produits en bordure de cette route tranquille. Je trouve sur son petit comptoir extérieur des pots de miel de tous les formats ainsi que différents alcools aromatisés du même nectar. Murmani m'offre quelques verres de vodka et de chacha – une eau-de-vie traditionnelle de raisins – pour célébrer notre nouvelle amitié. Il montre ses biceps en riant et m'assure que je repartirai de son kiosque avec une force renouvelée.

Je suis prêt à le croire lorsque je réussis finalement à atteindre le sommet du col de Goderzi, à un peu plus de 2000 m d'altitude. Un orage s'abat sur la montagne au même moment. J'en profite pour me mettre à l'abri et prendre le temps de manger dans un tout petit restaurant qui n'offre qu'un seul plat à l'intérieur d'une cabane en bois. Les rayons du soleil de juillet réussissent lentement à se nourrir de l'air gorgé d'eau et à dissiper les nuages. Dans l'air pur, je découvre peu à peu un vieux village formé de quelques autres bicoques. Autour d'elles se trouvent de petites parcelles de terre cultivées, délimitées par d'antiques clôtures construites à la hache.

La montée m'a peut-être vidé physiquement, mais elle m'a rempli d'un calme apaisant.

*

Murmani présente avec confiance les vertus de son miel magique.

La beauté du paysage autant que l'effort physique
font battre le cœur durant la lente montée du col de Goderzi.

Au sommet du col, quelques habitations de fortune se partagent des parcelles de terrain accidentées.

La gravité aidant, je traverse, de l'autre côté du col, les rivières et les obstacles presque sans ralentir. J'arrive à Bordjomi, qui se laisse découvrir avec surprise au détour d'une route sinueuse. La petite ville, qui semble prise à l'étroit entre deux montagnes, est l'hôte de sources d'eau naturellement gazeuse, exploitées dans des stations thermales depuis presque deux millénaires. Dès la fin du 19e siècle, le grand-duc Mikhaïl de Russie fit établir ici une usine pour y embouteiller directement l'eau. Aujourd'hui, c'est un million de bouteilles de marque Borjomi qui sortent chaque jour de la ville en direction d'une quarantaine de pays. Cette production fait de la marque l'un des plus importants produits d'exportation de la Géorgie.

Je fais ensuite un bref détour afin de passer par la ville de Gori, qui est probablement l'un des seuls endroits du monde où l'on se souvient avec nostalgie de Joseph Staline, le dictateur ayant régné sur l'Union soviétique de 1922 jusqu'à sa mort, en 1953. C'est ici que le « petit père des peuples » est né, au sein d'une famille pauvre, à l'époque où la Géorgie faisait partie de la Russie impériale.

Je ne passe pas à côté de la chance de visiter le surnaturel musée lui étant consacré, et fondé par le dictateur lui-même en 1937. Le musée semble littéralement figé dans la fin des années 1940, à l'apogée du pouvoir de Staline. Des tableaux le présentent ici comme un révolutionnaire jeune et séduisant, et là en présence des autres grands de ce monde – Churchill, Roosevelt et compagnie. On y montre des reproductions grandeur nature de la maison qui l'a vu naître et de son bureau au Kremlin, à Moscou.

Et entre deux photos où on peut le voir attentionné avec ses enfants, des feuilles éparses sur des murs sombres font état des gens qui ont perdu la vie par l'action du leader communiste. Plusieurs estiment le nombre de victimes à quelque 20 millions – exécutés, affamés ou envoyés à leur mort dans les camps du goulag sibérien.

J'apprends que plusieurs des petits-enfants de Staline sont toujours vivants aujourd'hui, et habitent aux États-Unis, en Russie et en Géorgie. Sans surprise, ils portent maintenant presque tous de nouveaux noms de famille moins difficiles à assumer.

Tout comme ces descendants du dictateur, la majorité des Géorgiens préfèrent laisser dans le passé le plus connu de leurs camarades, et que l'on parle plutôt de leur pays pour son vin, son eau ou son miel. Je suis d'accord avec eux. D'ailleurs, il paraît même que leur miel est d'une efficacité redoutable pour faire grossir les biceps !

CHACHLIKS IMPROMPTUS

GÉORGIE

Quelques mois après la visite de mon frère, c'est maintenant mon ami Mathieu, que je connais depuis l'école primaire, qui me rejoint avec son vélo à l'aéroport de Tbilissi. Il me raconte en riant la réaction de ses collègues de travail lorsqu'il leur a annoncé que ses vacances annuelles se passeraient à pédaler la Géorgie et l'Azerbaïdjan. Les questions alternaient généralement entre « C'est où ça ? » et « Pourquoi ? ».

En plus du plaisir de rouler en ma compagnie, il y a plein de raisons de venir explorer les collines du Caucase. À commencer par l'unicité de la cuisine géorgienne.

Le *khinkali,* par exemple, fait penser à un gros ravioli, le plus souvent rempli de viande. Il faut le tenir par le dessus, là où la pâte a été rassemblée pour fermer le ravioli, et en aspirer le jus contenu dans la poche avant de pouvoir manger le reste sans faire de dégât. Plus facile à dire qu'à faire...

Il y a aussi l'omniprésent et bourratif *khatchapouri,* plat national où le pain est, dans l'une de ses nombreuses variations, cuit en forme plate et ovale. Les bords relevés lui donnent l'apparence d'une barque, et dans le milieu on dépose un œuf sur une bonne quantité de fromage et de beurre.

C'est ainsi, entre ces nouveaux mets, que mon vieil ami et moi nous retrouvons et visitons la belle capitale. Fondée au 5e siècle, Tbilissi est aujourd'hui un mélange réussi d'architectures médiévale et classique où des bâtiments de l'ère stalinienne côtoient d'autres édifices, résolument modernes.

*

Les auberges de jeunesse, avec leurs dortoirs et aires communes, sont d'agréables endroits pour rencontrer des gens de tous les horizons. C'est dans l'une d'elles que nous faisons la connaissance de Solène, une Française venant de terminer une année d'études à Moscou. Elle se promène seule en auto-stop aux quatre coins de la Géorgie avant de retourner dans ses montagnes de Haute-Savoie. Elle et Mehmet, un jeune ingénieur iranien qui voyage aussi par la force du pouce, partent dans la même direction que nous. Nous nous donnons tous rendez-vous dans un village choisi un peu au hasard sur la carte.

Sur place, force est de constater qu'à part quelques habitations, il n'y a pas grand-chose. Nous nous dirigeons tranquillement vers un champ pour y établir notre campement. Ma technique habituelle consiste généralement à m'installer en retrait de la route et à tenter de ne pas trop attirer l'attention. Mais la pétillante Solène ne l'entend pas ainsi. Elle qui ne connaissait aucun mot de russe il y a moins d'un an se débrouille maintenant assez bien dans cette ex-république soviétique pour se mettre à parler à tous les gens que nous rencontrons et leur dire où nous allons camper.

Les tentes sont montées en bordure d'une route agricole déserte, et il fait presque nuit lorsque je commence à préparer le souper. Au même moment, une fourgonnette blanche quitte le chemin et se met à rouler dans notre direction à travers l'herbe. Une petite vague d'inquiétude traverse notre groupe.

Dans la pénombre, un homme sort de la fourgonnette. Sans dire un mot, il ouvre la porte coulissante du côté. Plusieurs autres hommes en sortent. Mathieu est à la veille de partir à courir. Mehmet recule de quelques pas.

Je suis toujours accroupi devant mon petit réchaud. Mon regard croise celui de mon ami d'école. « On est morts », craint Mathieu.

Le groupe d'hommes se met alors à sortir d'immenses fagots de bois du véhicule et à les installer par terre. Le conducteur échange quelques mots avec Solène, qui nous traduit la situation. « Ils nous ont apporté des brochettes ! » lance-t-elle, toute joyeuse et déjà à genoux dans l'herbe en train de les aider à la préparation du repas. Mathieu est toujours debout au même endroit, tenant une bière que les Géorgiens lui ont mise illico dans les mains. Son visage ahuri semble dire : « Mais qu'est-ce qui se passe ? »

Les fermiers-cuisiniers font cuire les *chachliks* – plat local de brochettes – juste au-dessus des tisons formés par le feu de camp. La fumée sucrée formée par la combustion du bois de vigne donnera un goût particulier et riche aux viandes d'agneau, de bœuf et de porc. Des épices de la région y sont ajoutées et le résultat est tendre, juteux et merveilleusement savoureux. Dans cette contrée vinicole de la Géorgie, la préparation des *chachliks* est pratiquement une matière obligatoire à l'école.

Pour compléter le repas, un vin blanc maison est versé dans des verres directement d'une énorme bouteille de cinq litres et distribué généreusement autour du feu.

Après nous avoir ainsi nourris et légèrement enivrés pendant quelques heures, les hommes remontent dans la fourgonnette et repartent aussi vite qu'ils sont arrivés. Ils nous laissent là, silencieux, nous demandant si nous venons de rêver à ce repas sorti de nulle part. Mais le petit tas de cendres qui fument encore légèrement à nos côtés témoigne de la réalité.

Grâce à l'audace de Solène et à la générosité des Géorgiens, Mathieu aura une excellente histoire à raconter à ses collègues de travail dubitatifs.

La belle et vieille ville de Tbilissi, fondée au 5e siècle, allie adroitement le moderne et l'ancien.

BONNE CHANCE !

AZERBAÏDJAN

C'est presque la fin de l'après-midi et Mathieu me répète depuis des heures qu'il a faim, sans que nous puissions trouver un endroit où nous arrêter. Il ne nous reste plus rien à manger lorsque nous trouvons enfin un petit restaurant, quelques kilomètres avant d'entrer en Azerbaïdjan.

Un molosse en garde cependant la porte d'entrée et se met à aboyer devant Mathieu, habillé de son cuissard de vélo et d'un chandail multicolore trop serré pour sa trentaine. Mon vieil ami n'a en ce moment pas la patience pour ce genre de rencontre. Il regarde le chien dans les yeux, écarte les pieds, plante ses mains sur les hanches et lui lance un tonitruant et bien senti « TA GUEULE ! J'AI FAIM ! ». J'éclate de rire. C'est bon de voyager à deux.

*

Les Géorgiens semblent s'inquiéter pour nous. Le dernier écriteau sur la route se lit comme suit : « *Azerbaijan Border – Good Luck.* » En attente à la douane, l'avertissement semble tout à coup justifié lorsqu'un douanier m'enlève des mains mon téléphone… avant de se mettre à prendre des *selfies* en notre compagnie !

En réalité, je ne sais pas à quoi m'attendre en Azerbaïdjan. Comme bien souvent, je suis ici parce que le pays se trouve sur ma route, mais je n'en connais pas grand-chose. Ces derniers mois, j'ai traversé plus de frontières que je n'ai fait de brassées de lavage.

Beaucoup qualifient ce pays de dictature policière familiale. Aliev père a été élu président en 1993 alors que le pays était au bord de la guerre civile. À sa mort, en 2003, il fut succédé par son fils, qui y est toujours. Un peu partout, on peut voir l'image culte du père. Son visage, omniprésent, couvre d'immenses panneaux qui ne sont pas sans rappeler une certaine ambiance nord-coréenne. Honorer le père, c'est respecter le fils. Habile.

L'Azerbaïdjan, qui ne compte qu'une dizaine de millions d'habitants, est coincé entre les poids lourds que sont la Russie et l'Iran. À l'est se trouve la mer Caspienne, d'où le pays tire la majorité de ses revenus sous forme de pétrole. De l'autre côté se situe l'Arménie, où, en raison de conflits territoriaux, se déroulent de perpétuels combats, lesquels sont financés par le gouvernement azerbaidjanais qui revendique certains territoires.

Mais plus que ces jeux politiques, Mathieu et moi remarquons surtout les gens généreux, accueillants et curieux qui peuplent le pays. Notre chemin est parsemé de ces rencontres, comme ce restaurateur qui nous offre des pêches, ce berger qui nous mène au meilleur endroit sur sa terre pour planter nos tentes sous le couvert des arbres, et ces deux jeunes frères adolescents qui nous préparent à souper et à déjeuner en plus de nous conduire jusqu'à un verger, d'où l'on repart les sacs pleins de pommes, de prunes et de raisins.

20

À l'invitation de Namik, Mathieu et moi sommes installés sous les grandes bâches des vendeurs de melons.

En suivant les flancs du Grand Caucase, nous passons l'ancien royaume azéri de Shaki. Un peu plus loin, Ataflun, le sosie local de George Clooney, nous fait signe de venir prendre le thé avec lui. L'invitation est plus que bienvenue, surtout avec une température qui oscille quotidiennement autour de 45 degrés.

Ataflun parle sept langues: azéri, turc, russe, kazakh, ouzbek, kirghiz, et un peu anglais. Aujourd'hui dans la cinquantaine, il a eu une carrière dans l'armée soviétique à l'époque où l'Azerbaïdjan faisait encore partie de l'Union. À titre de pilote d'hélicoptère, il est entre autres allé en Afghanistan. Nous apprenons tout cela en buvant presque une quinzaine de tasses de thé et en mangeant des *murabbas*, petits fruits confits avec du miel qui goûtent le paradis.

Avant que nous ne partions, Ataflun nous met en garde contre les serpents présents plus loin sur la route. Ils seraient gros comme le bras, longs de quelques mètres, et leur morsure assez violente peut tuer un homme. Rassurant...

*

Après avoir laissé les montagnes derrière, le dernier tiers du parcours au pays se déroule dans une longue vallée désertique nous menant jusqu'à la capitale, Bakou, située sur la mer Caspienne.

L'ombre se fait rare. Nous roulons sur l'accotement d'une large autoroute qui suit le relief des longues collines. Il n'y a aucun arbre à l'horizon et le sol est sec et dur. Adossant nos vélos au mur d'un restaurant, la température affichée sur l'odomètre de Mathieu monte jusqu'à 50 degrés. L'une de ses chambres à air explose au même moment.

Nous arrivons en début de soirée à l'étal de melons d'un nommé Namik. Je laisse Mathieu avec lui et je marche dans le désert afin de prendre des photos. Quelques instants plus tard, couché par terre avec mon appareil, je vois mon ami courir maladroitement avec ses souliers glissants de vélo de route. Il crie et gesticule. « Tu te souviens des gros serpents qui tuent ? » me demande-t-il en reprenant son souffle. « Namik vient de me dire que c'est ici ! »

Nous sommes pris au dépourvu. Loin de tout, nous ne pouvons camper nulle part en dehors de la route. Namik décide donc de nous inviter à installer nos tentes sous l'habitation de fortune des vendeurs de melons. D'énormes bâches bleues sont installées sur une charpente en bois. Elles protègent autant du soleil durant la journée que de l'énorme vent du soir. Des lits de style militaire y sont installés dans une pièce fermée par une autre bâche et où l'on trouve aussi une petite télévision. Namik nous explique que les quelques lumières et le bruit de la génératrice tiennent généralement les serpents à distance. Nous décidons de monter nos tentes sous l'abri par précaution.

Chacun des vendeurs passe cinq jours ici, à côtoyer la circulation, avant d'avoir deux jours de congé auprès de sa famille. Il n'y a pas d'eau, pas de toilettes, et de l'électricité que durant quelques heures en soirée. Les vendeurs font la route périodiquement pour aller acheter les melons, à leurs frais, plus loin dans le pays. Et chaque fruit vendu ne leur rapporte que quelques sous.

Cela n'empêchera pourtant pas Namik d'insister le lendemain pour nous offrir plusieurs melons à apporter. Mais je sais maintenant à quel point le fruit se transporte mal à vélo ! Je suggère à Mathieu de les manger avant de partir.

*

Les Azerbaïdjanais sont probablement les gens les plus attentionnés que j'ai rencontrés sur ma route depuis le début de mon voyage. En dépit d'une situation politique difficile, j'ai découvert leur gentillesse et leur générosité sans bornes.

Après quelques semaines passées ensemble, Mathieu me quittera bientôt tandis que je poursuivrai ma route vers l'est. J'ai une pensée pour ce « bonne chance » lu à la frontière. Je me dis que ce souhait n'est pas tant utile pour visiter ce pays, où les gens sont si accueillants, que pour accepter de devoir le quitter un jour...

Ces travailleurs de la voirie on gravi une côte en courant sous un soleil de plomb afin de nous offrir de l'eau et faire notre connaissance.

LE LAISSEZ-PASSER A38

AZERBAÏDJAN

Dans le film Les 12 travaux d'Astérix, les héros Astérix et Obélix doivent obtenir le laissez-passer A38 à l'intérieur d'un bâtiment bureaucratique surnommé « la maison qui rend fou ». Ils s'y font envoyer d'un étage et d'un bureau à l'autre, amassant au passage une série d'autres formulaires préalables. Astérix prend alors la bureaucratie à son propre jeu en demandant un formulaire qui n'existe pas, causant la pagaille dans le bâtiment et lui permettant de recevoir le formulaire recherché.

Me promenant d'un bord à l'autre de la ville de Bakou dans le but de me procurer un visa, j'ai l'étrange l'impression d'être moi aussi dans un dessin animé...

*

Dans beaucoup de capitales, on trouve généralement un quartier des ambassades. Pas ici. Devant obtenir à Bakou deux visas – pour le Kazakhstan et l'Ouzbékistan –, je commence donc par faire près d'une heure d'autobus pour me rendre à l'ambassade du premier pays... où je me bute à des portes closes. L'horaire affiché en ligne est visiblement erroné. Je devrai revenir dans quelques jours. Je me concentre donc pour l'instant sur le visa ouzbek et reprends, pendant une autre heure, une série d'autobus afin d'aller cette fois à la seconde ambassade.

Sur place, j'attends une demi-heure à l'extérieur du bâtiment en compagnie d'un soldat et d'un chat qui s'installe sans gêne sur mes cuisses. Puis je fais connaissance avec le consul, qui m'entraîne rapidement dans une étrange discussion. Je lui remets mon passeport, et il me demande ma nationalité. Perplexe – il a mon passeport devant lui quand même –, je lui réponds « Canada ». Il secoue la tête, un peu désespéré. « Non, non, me dit-il, ça, c'est ta citoyenneté. Quelle est ta nationalité ? »

Je me penche vers la petite ouverture dans la vitre qui nous sépare. Le consul est un homme assez court d'une cinquantaine d'années, au visage rond. Il attend ma réponse, les lèvres pincées. « Je n'ai aucune idée », dois-je lui avouer tout bas. Un grand et maigre assistant est debout au fond du bureau, et ne semble pas non plus me trouver très futé.

Le consul tente alors de me donner quelques choix de réponse dans un anglais approximatif. « Es-tu Coréen, Japonais...? » Évidemment, aucune de ces réponses, mais celles-ci me donnent l'idée d'essayer le terme communément utilisé pour indiquer que l'on a la peau blanche. « Caucasien ? » ai-je tenté. Ma réponse l'offusque presque. « Mais non, tu n'es pas Caucasien ! » s'exclame-t-il. Je comprends un peu sa réaction. Nous sommes présentement dans le Caucase, et je ne suis visiblement pas d'ici.

Au cœur de la cité fortifiée de Bakou, inscrite sur la liste du patrimoine mondial de l'UNESCO, on aperçoit au loin, plus modernes, la tour de télévision et le trio des Flame Towers.

Le terme « caucasien » peut effectivement porter à confusion depuis qu'il a été popularisé par le courant taxonomiste à la fin du 18e siècle. La « race caucasienne », telle que définie à l'époque, comprenait non seulement les Européens, mais aussi les habitants de l'Asie de l'Ouest, de l'Afrique du Nord et de l'Inde. Il fut choisi en se basant sur le fait que les Géorgiens (des montagnes du Caucase) représentaient un bon exemple des caractéristiques de cette « race ». Ce n'est que plus tard que le terme devint synonyme de blanc.

Quoi qu'il en soit, je n'entre pas dans cette discussion avec mon consul, et j'essaie plutôt de lui donner mes plus lointaines origines ethniques. « Français ? » que j'ose cette fois lui proposer.

Nous en sommes toujours à la première question, et la discussion semble l'avoir déjà épuisé. « Fais juste me donner ton passeport », me lâche-t-il en prenant mon document déjà devant lui. L'ouvrant à la première page, il m'y pointe le nom du pays comme si c'était une révélation. « Tu vois, c'est écrit ici, tu es Canadien ! » L'assistant me fait un signe de tête du fond du bureau, semblant me dire : « Tu vois, ce n'était pas compliqué ! »

Le consul me tend ensuite un tout petit papier sur lequel est écrit un code numérique. Il m'indique que je dois aller payer les frais à une banque précise, en personne, et au numéro de compte inscrit sur le papier. La banque en question est située juste à côté de l'ambassade kazakhe… à une heure d'autobus !

Une heure plus tard, je constate que l'emplacement indiqué sur ma carte n'est pas le bon. Je marche 2 km. Puis j'attends en ligne pour faire estampiller mon formulaire. Après le tampon, on me dit que le paiement doit maintenant se faire… dans une autre banque.

Cette fois, j'ai vraiment l'impression d'être à la poursuite du laissez-passer A38.

Je ne reviens qu'en milieu d'après-midi à l'ambassade d'Ouzbékistan, après avoir traversé une quatrième fois la ville. Autre attente dehors passée à flatter le chat. De nouveau devant le consul, je tente de lui poser une question sur la durée du visa que j'essaie d'obtenir. « Une question, 10 $ », me répond-il sèchement.

Je lui mentionne rapidement que je suis à vélo et que les dates du visa sont donc importantes. « Tout le monde est à vélo », m'interrompt-il après deux mots. Effectivement, rares doivent être les étrangers qui font des demandes pour le visa ouzbek à partir de l'Azerbaïdjan, sauf les quelques cyclistes qui passent par ici.

Le consul ignore donc ma question et me demande plutôt, alors que toutes nos conversations se sont déroulées jusque-là en anglais : « Parles-tu au moins anglais ? » Cette fois, je semble apercevoir un début de sourire au coin de ses lèvres. En un instant, je saisis la situation. Son travail doit être tellement répétitif qu'il s'amuse avec les nerfs des gens qui défilent devant lui. Comme Astérix, je tente de le prendre à son jeu.

« Non, désolé, je ne parle que français », lui dis-je en anglais. Le plus sérieusement du monde, il ajoute alors : « Ah oui, d'accord, je peux voir ça. Eh bien, nous devons tester ton anglais », poursuit-il, avant d'ajouter une question à laquelle je réponds du tac au tac.

« Sais-tu ce que "Tuti Tutoo" veut dire ?
– Oui, c'est une tribu en Afrique. »

Le consul éclate de rire. Je viens de percer sa carapace. Il traduit ma blague à son assistant, qui se met lui aussi à rire. Puis il corrige ma réponse : « Non, non ! C'est quand, à la réception de l'hôtel, tu demandes deux thés pour la chambre numéro deux. *Two tea[s] to two* ! »

Le diplomate, maintenant dans une humeur tout à fait joviale, sort un magazine touristique ouzbek devant dater d'au moins 10 ans. Une photo d'une jeune femme en habit traditionnel se trouve sur la couverture. L'assistant s'approche et se penche par-dessus l'épaule de son patron pour mieux regarder. À l'invitation de celui-ci, je me baisse la tête encore plus dans l'ouverture de la fenêtre. La brochure en question liste les 10 meilleures raisons de visiter le pays d'Asie centrale. Le consul pointe alors la jolie fille et me dit à voix basse, comme s'il s'agissait d'un secret national : « C'est la raison numéro un de visiter l'Ouzbékistan. » L'assistant me fait signe que oui. Je demande alors au consul quelles sont les neuf autres raisons. Il feuillette rapidement les pages et finit par dire en riant : « Quelle importance quand ton numéro un, c'est elle ? »

Puis il me remet mon passeport, qui contient le fameux visa.

Je reprends une dernière fois l'autobus afin de revenir à mon auberge. J'y trouve deux cyclistes allemands qui viennent eux aussi de tenter d'obtenir le même visa que moi. « Le consul nous a demandé ce que *tuti tutoo* voulait dire… On ne savait pas ! » me lâchent-ils, pessimistes. Ils ajoutent : « Il nous a ensuite dit qu'on devait attendre huit jours pour obtenir le visa ! »

Je souris et leur ouvre mon passeport à la page où mon « visa A38 » vient d'être collé. « Vous auriez dû regarder davantage Astérix, les gars ! »

RALLYE SUR LA CASPIENNE

AZERBAÏDJAN / KAZAKHSTAN

Il n'existe aucun service de traversier pour passer de l'Azerbaïdjan au Kazakhstan, de l'autre côté de la mer Caspienne. Par contre, quelques cargos chargés de camions de marchandises font régulièrement l'imprévisible aller-retour de 450 km entre les deux pays.

La Caspienne, une étendue d'eau aussi grande que la Californie, est assez instable et aucun horaire n'y est établi. Si on veut s'embarquer pour une traversée, il faut se rendre la journée même au port de la capitale, Bakou, et demander si un navire s'approche des côtes. Selon la météo, l'attente peut être d'une journée comme de deux semaines.

Je me rends ainsi au port un matin, où l'on m'annonce qu'un bateau doit justement arriver la journée même… mais dans un autre port, à 75 km au sud. On ajoute que je dois impérativement y être pour 14 h. Il est déjà 11 h… Impossible que j'arrive à temps.

Voilà qu'une vieille auto rouillée arrive au port. Sur le toit, une boîte, presque plus grosse que l'auto elle-même, arbore un gros collant « GB ». Je vais à la rencontre de ces Britanniques qui s'extirpent du véhicule. Dom, Matt, Sam et Huw sont en train de réaliser le Mongol Rally, un raid caritatif rassemblant chaque année plus de 300 véhicules qui parcourent la route entre Londres et la Mongolie.

Le quatuor souhaite lui aussi passer au Kazakhstan et accepte chaleureusement de me prendre comme cinquième passager dans leur minuscule Nissan Micra 2002 déjà pleine.

Sous les cris d'un employé stressé qui nous répète de nous dépêcher, nous attachons mon vélo sur le toit, installons sur nos genoux mes bagages qui touchent presque au plafond et partons à la rencontre du cargo.

Sur l'autoroute, nous suivons calmement un gros camion de construction rempli à ras bord de briques lorsqu'un dix-huit roues tente de le dépasser. Sa longue remorque l'accroche au cours d'un changement de voie trop rapide. Le camion de construction se met à zigzaguer dangereusement. Les briques s'envolent et retombent avec fracas sur l'asphalte devant notre Nissan. Dom, qui est au volant, nous projette dans l'accotement et réussit de justesse à éviter la collision. Sam, à ses côtés, lui crie : « Continue ! Continue ! Dépasse-le par le champ avant qu'ils ne ferment la route ! »

Encore un peu essoufflés par notre course folle, nous arrivons un peu après le coup de midi. On nous indique d'aller stationner plus loin, ajoutant qu'on nous le fera savoir quand viendra le moment d'embarquer sur le bateau.

Nous attendons 14 heures dans le stationnement…

Au fil de ces heures, une cinquantaine de camions de transport arrivent un par un et s'installent dans l'immense stationnement. Dans l'un d'eux se trouvent Leonid et Sasha, deux Ukrainiens voyageant en auto-stop que j'ai déjà rencontrés à mon auberge de Bakou. Nous serons donc sept touristes sur l'immense cargo.

Vers 2h du matin, un lent embarquement débute, et nous levons finalement l'ancre vers 8h.

Finalement à bord, nous nous faisons assigner de petits compartiments avec des lits superposés. Nous passons la journée à lire, à explorer le cargo, à admirer la Voie lactée une fois la nuit venue. Nous passons devant plusieurs immenses plateformes pétrolières.

Le lendemain matin, l'allure du bateau ralentit lorsque nous arrivons au port d'Aktau, au Kazakhstan. La météo ayant été de notre côté, la traversée n'aura duré que 24 heures. Un autre cycliste me dira plus tard que la même traversée lui aura pris cinq jours à cause des tempêtes !

Je quitte le bateau en compagnie de mes amis anglais pour passer à la douane kazakhe. Un douanier flaire la bonne affaire et rôde autour du véhicule. Il s'adresse à Dom, qui en est propriétaire. « De l'argent, ou je fais défaire votre auto en morceaux pour la fouiller. » Préparé pour toutes les circonstances, Dom l'amadoue rapidement en lui remettant une des nombreuses petites bouteilles de whisky et de vodka qu'il transporte pour ce genre de situation.

Dom doit ensuite remplir les nombreux formulaires requis. À chaque frontière, les Britanniques doivent prouver que le véhicule est assuré et en règle. Ces procédures sont tellement longues qu'il leur est parfois arrivé de passer plus de temps à la douane qu'à traverser le pays au complet. Nous entendons soudainement Dom argumenter avec les douaniers dans leur bureau. Il pointe à répétition une information erronée sur le papier, mais les Kazakhs devant lui refusent de changer le texte. Comme personne d'entre nous ne parle russe ou kazakh, je vais demander l'aide de Sasha l'Ukrainienne.

Dom lui explique : « Les douaniers n'ont pas écrit le bon nom sur le formulaire ; ils croient que je suis Professor Gül ! » Sasha pouffe de rire et lui répond : « *Professor Gül*, c'est le nom du bateau. »

Les papiers maintenant en règle, et Dom rebaptisé Professor Gül, c'est le temps de se dire au revoir. Je reprends tristement la route, une pointe d'envie pour mes nouveaux amis qui peuvent partager leurs aventures entre eux. Mon regard défile sur l'horizon sablonneux qui m'entoure. J'ai peine à croire que je me trouve au Kazakhstan. Je suis parti de l'Angleterre, et je suis au Kazakhstan.

Et j'ai un long désert à traverser.

Dom, Matt, Sam et Huw, les quatre comparses britanniques en route vers la Mongolie dans leur minibolide.

คาราบาว
แดง
2016
BJ02 ZXH
www.colliers.co.uk

ASIE CENTRALE

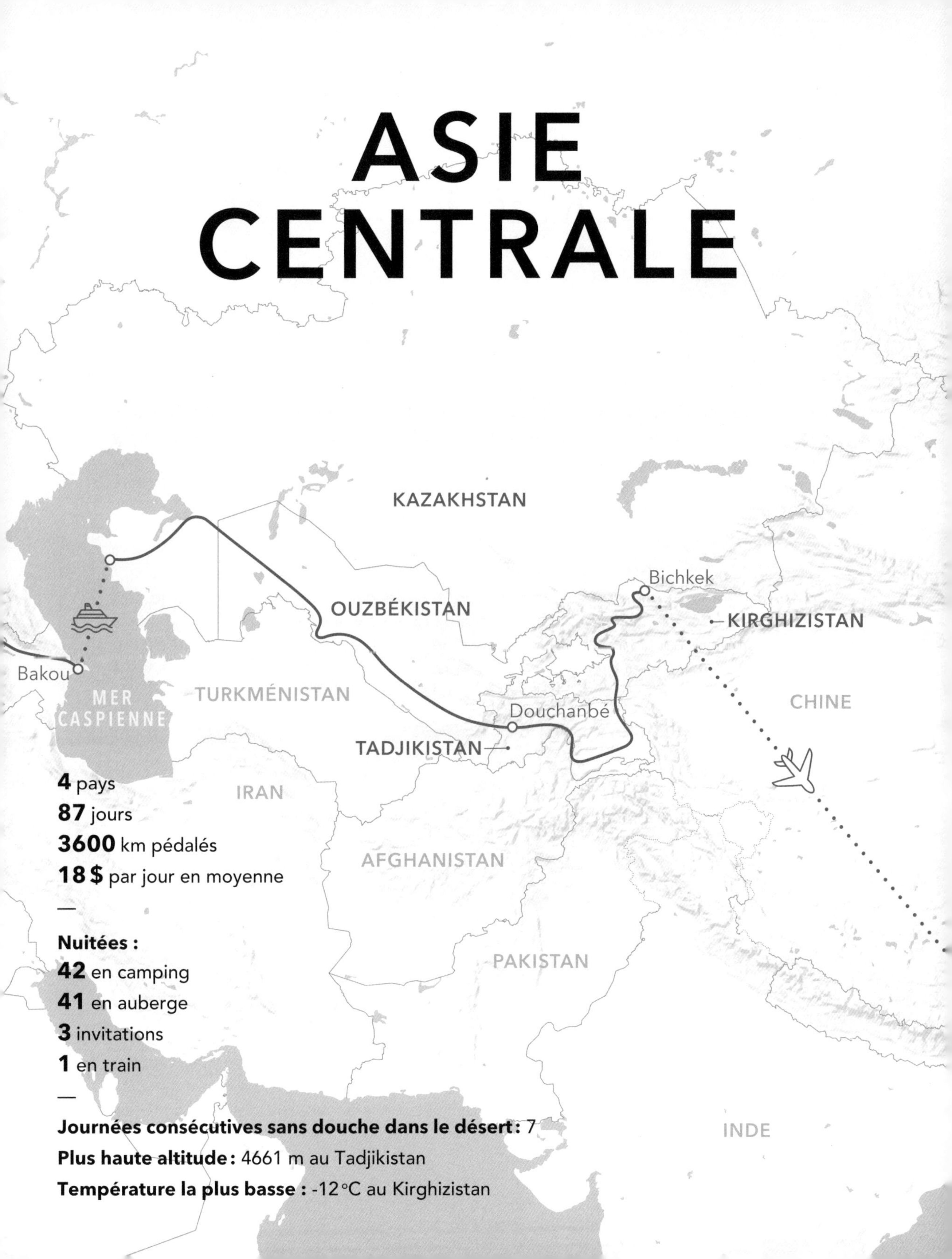

4 pays
87 jours
3600 km pédalés
18 $ par jour en moyenne

—

Nuitées :
42 en camping
41 en auberge
3 invitations
1 en train

—

Journées consécutives sans douche dans le désert : 7
Plus haute altitude : 4661 m au Tadjikistan
Température la plus basse : -12 °C au Kirghizistan

POUR LES PERSONNES MENTALEMENT STABLES

KAZAKHSTAN

« Les vastes steppes désertiques du Kazakhstan offrent peu de stimulation visuelle et ne devraient être tentées que par les cyclistes les plus robustes et les plus mentalement stables. »

Cette citation provient du site web Caravanistan.com, une importante source d'information sur l'Asie centrale. On y décrit la route de presque 500 km que je m'apprête à parcourir. Il y est aussi écrit : « À part la désolation du désert, il n'y a rien d'autre à voir qu'un cimetière ou quelques habitations à l'occasion. Ce n'est pas plaisant, et on le fait donc pour l'expérience. La chaleur est un problème, autant que la constante férocité du vent. »

Cela s'annonce joyeux !

*

Le désert reprend rapidement ses droits sur la route qui quitte Aktaou, là où je suis débarqué du cargo. Il ne s'agit cependant pas de dunes sahariennes, mais plutôt d'un sol dur et plat où pousse une maigre végétation. Quelques villages isolés s'accrochent encore à la route durant cette première demi-journée, mais c'est ensuite la désolation totale, à part quelques dromadaires curieux qui viendront parfois se laisser flatter.

Au milieu du désert, l'horizon se perd au loin dans l'épaisseur de l'air. Le sol est plat presque partout, comme comprimé par une lumière pesante. Je roule une centaine de kilomètres en ligne droite, puis bifurque légèrement afin de prendre une autre ligne droite tout aussi longue. Et ainsi de suite.

Bien que je sois dans une vaste étendue inimaginable, j'étouffe. La température dépassant 45 °C est accompagnée d'un vent sec qui chasse toute l'humidité du corps. Je dois constamment m'asperger le visage pour humidifier mes yeux, mon nez et ma bouche, et j'ai l'impression que mon cerveau rapetisse de déshydratation.

Toute ma sueur est immédiatement bue par l'atmosphère et ne reste pas longtemps sur ma peau. Mais la moindre moiteur attire sur mon épiderme une couche grandissante de sable fin que je tente de nettoyer tant bien que mal avec des lingettes humides le soir venu. Contrairement au sommet d'une montagne, l'immensité du paysage a pour effet de m'écraser plutôt que de me grandir.

Heureusement, sur la route, on trouve des *chaikhanas* (maisons de thé), espacées de 60 à 80 km les unes des autres. Ces constructions simples, aux fenêtres si sales que le soleil les traverse à peine, sont vieilles, poussiéreuses et pleines de mouches. Mais ce sont des haltes bienvenues qui apportent ombre, nourriture et surtout la possibilité d'acheter de l'eau. Sans ces oasis bétonnées, je n'aurais jamais pu en transporter assez pour survivre à cette route ardente.

Je pars un matin d'une de ces maisons avec une quinzaine de litres d'eau. Pas plus tard que le lendemain après-midi, mes réserves sont déjà presque à sec. J'en suis à faire signe aux rares automobilistes pour leur demander l'aumône des quelques fonds de bouteilles qui traînent dans leurs véhicules. Certains camionneurs s'arrêtent d'eux-mêmes et insistent pour me faire monter. Je refuse et leur explique que je dois malgré tout continuer à vélo jusqu'à la prochaine ville, qui se trouve à 300 km. Ils ne saisissent pas trop ce que je veux dire par « Je le fais pour l'expérience ! ».

Toujours assoiffé, j'aperçois finalement quelques maisons plantées à une centaine de mètres de la route. Des dromadaires semblent garder l'entrée de ce minivillage trop petit pour même porter un nom. Je m'approche de la seule âme en vue et lui expose mon besoin d'eau. Le Kazakh m'invite à le suivre jusqu'à sa remise. La cabane ne contient qu'une trappe au sol, au-dessus de laquelle il se penche pour l'ouvrir. Un réservoir d'eau de la grosseur d'un spa se trouve sous terre. Mon sauveur en tire une chaudière et remplit mes bouteilles. Il m'explique que sa maison est si éloignée des points d'eau qu'il n'a d'autre choix que de s'en faire livrer par camion et de l'entreposer dans cette citerne, à l'abri de l'évaporation.

Son épouse m'invite à manger. Le couple ne doit pas encore avoir 30 ans et a déjà quatre ou cinq enfants. Plusieurs autres membres de la parenté de l'homme vivent sous le même toit, qui compte six ou sept pièces. Cet après-midi, tout le monde se trouve à l'intérieur pour se protéger du soleil.

L'unique distraction n'est souvent que le seul mouvement du soleil sur l'horizon.

ACHTING
EST 1965

Assis dans leur cuisine, je remarque qu'il n'y a aucun lavabo, ni eau courante d'ailleurs. En attendant le repas, on m'offre un bol – que dis-je, c'est une bassine ! – de lait de dromadaire fermenté. J'en prends quelques gorgées pour démontrer mon savoir-vivre, mais le goût de yogourt trop liquide laissé sur le comptoir pendant quelques semaines me lève le cœur. J'avale encore quelques gorgées le plus rapidement possible. La femme s'y laisse prendre. « Tu aimes ? » « Oh oui, merci beaucoup », dis-je, en me demandant comment je réussirai à boire tous ces litres de lait sur.

Je vois une occasion lorsqu'elle quitte la cuisine un instant. J'en profite pour remettre un peu du liquide dans l'immense contenant au milieu de la table. Puis, voyant que j'ai encore le temps, j'y vide mon bol au complet. Je porte ensuite celui-ci à mes lèvres en faisant mine de terminer ma dernière gorgée lorsque mon hôtesse revient. « Tu en veux encore ? » « Non, merci. » J'ai soudainement moins soif, on dirait…

Les questions habituelles ne se font pas attendre plus longtemps. « Tu viens d'où ? Tu as quel âge ? Es-tu marié ? Pourquoi n'es-tu pas marié ? » Dans beaucoup de cultures, être encore célibataire à 30 ans est inconcevable ; cela cache certainement une anomalie, un grave problème. On ne passe pas par quatre chemins : « Quel est ton problème ? » me demande la femme.

J'explique qu'en Occident, nous sommes un peu moins pressés à nous caser. Que certaines personnes ne le font même jamais. Mais, imaginez : mon hôtesse, qui est plus jeune que moi, a déjà accouché quatre fois. Je vois bien que c'est impensable pour elle. Je suis assis dans une cuisine sans eau courante, au milieu du désert kazakh, devant une chaudière de lait de dromadaire fermenté, à me faire questionner sur mes choix.

Elle vient d'une communauté voisine de celle de son mari. Lorsqu'elle regarde mes photos, ses yeux brillent, et elle me laisse entendre qu'elle aurait sans doute choisi une vie différente si elle avait eu le choix. Malheureusement, le désert ne permet pas de gagner assez d'argent pour aller s'établir en ville ou voyager. Et cette situation se perpétue de génération en génération.

*

Nouvelle journée, même chaleur et même longue route. La sueur et le frottement du sable m'incommodent sur ma selle. Alors que le soleil est à son zénith, j'ai l'impression de voir un mirage : un vieil arrêt d'autobus. Pourtant, l'arrêt est bien réel, même s'il n'y a qu'une seule bicoque au loin… et une automobile garée tout à côté.

Profitant de son ombre, j'allonge ma colonne vertébrale sur les trois barres parallèles en métal formant le banc et je m'endors immédiatement malgré l'inconfort. Pas plus de 15 minutes plus tard, un camion s'arrête devant moi. Le conducteur vient me rejoindre sur mon banc, amenant avec lui un nuage de fumée de cigarette. Je réalise bien vite que lui et son comparse sont là pour repeindre l'abri d'autobus. Cela doit faire au moins 15 ans que la peinture s'écaille sur les murs de béton effrité, mais c'est aujourd'hui, maintenant, que le travail doit se faire…

Je repars sous le soleil.

Nous sommes au cœur de l'été et je roule chaque jour jusque tard le soir pour tenter de profiter de l'air plus léger et d'une accalmie des vents de face. Malheureusement, avec la brunante apparaissent aussi de gros nuages d'insectes beiges qui se collent à ma peau, se prennent dans mes cheveux et me frappent les yeux. Au milieu de la steppe, des sauterelles grosses comme des souris sont partout. J'ai l'impression d'être entouré des plaies d'Égypte de l'Ancien Testament.

Mais aussi difficiles que ces conditions puissent être, elles ne peuvent rien enlever à l'incroyable beauté du ciel qui se dévoile chaque nuit. À plusieurs milliers de kilomètres des grandes villes les plus proches, la Voie lactée est ici brillante, teintée de mauve, de blanc, de jaune. Le ciel qui l'entoure, saupoudré d'étoiles étincelantes, est d'un noir profond. C'est à couper le souffle. J'ai l'impression d'être suspendu dans l'espace.

La chaleur de la journée n'étant retenue par aucune humidité, la température nocturne descend assez pour me faire sortir mon sac de couchage en duvet. La nuit sous les étoiles est exquise et rafraîchissante.

*

J'entre à Beïnéou après sept longues journées dans le désert. Bien que je n'aie traversé qu'une toute petite partie de l'immense Kazakhstan, je suis épuisé physiquement et mentalement.

Le site web avait en partie raison. Difficile, certainement. Mais il y avait beaucoup plus à voir que prévu : des dromadaires sur fond d'horizon, la générosité des gens au milieu de nulle part, les étoiles qu'on semble pouvoir contempler jusqu'au plus profond de l'univers. Et, surtout, la fierté d'en être venu à bout. Je pense maintenant être en mesure d'ajouter une ligne dans mon curriculum vitæ : « Jonathan B. Roy, cycliste robuste et mentalement stable. »

UN TRAIN NOMMÉ CHAOS

KAZAKHSTAN / OUZBÉKISTAN

Je suis à Beïnéou, dernier point kazakh avant la frontière ouzbèke à l'est. Entourée de sable, la ville semble une anomalie au milieu du désert. Je jongle avec l'idée de prendre un train pour m'éviter de prendre la route archi défoncée, surnommée « la pire du monde ». Je déteste laisser de côté le vélo, mais presque tout ce qui s'en vient est encore affreusement désertique. De plus, le visa ouzbek est valide à des dates fixes et il ne me reste que seulement 27 jours pour traverser le long pays.

Avec un œil enflé par la déshydratation, je quitte l'air conditionné de l'hôtel et marche sous un soleil écrasant en direction d'une petite épicerie. Je passe devant le terrain de soccer municipal, immense carré de sable orné de deux poteaux à chaque extrémité.

Après avoir exploré quelques commerces, je trouve enfin de nouvelles serviettes humides pour me laver « à la mitaine », dans ma tente. J'ouvre le paquet : elles sont sèches ! C'est la goutte – ou plutôt son absence – qui fait déborder mon bidon. Je n'ai tout simplement pas envie de retourner pousser une autre semaine dans le désert. Je prendrai le train.

Je découvre néanmoins rapidement qu'il peut parfois être plus compliqué de dépendre d'un moyen de transport que d'avancer par sa propre force motrice. Entouré de gens qui se bousculent et où rien n'est automatisé, l'achat du billet me prend plus d'une heure. Et ce n'était encore rien en comparaison avec ce qui m'attendait.

Comme le train doit passer par Beïnéou au beau milieu de la nuit, je me rends donc à la gare locale aux petites heures pour constater qu'elle est aussi achalandée que lors d'une foire de Noël. Les gens courent et se poussent sur le quai. Il faut passer par-dessus les rails pour se rendre aux différents points d'embarquement pendant que des trains arrivent des deux côtés. Des vendeurs de fruits me remettent dans le droit chemin au moment où je m'apprête à embarquer dans le mauvais train. « CANADA ! CANADA ! » s'écrient-ils en me pointant la bonne direction.

Une fois le train en mouvement, on me donne un formulaire d'immigration. Il n'est rédigé qu'en russe et personne dans le wagon n'est en mesure de le traduire. J'essaie de deviner les questions et le leur remets à moitié rempli. Puis je tombe d'épuisement.

Vers 5 h du matin, des douaniers ouzbeks entrent dans le wagon afin de passer tous les passagers au peigne fin. Je vide complètement mes sacs et leur explique en détail mon itinéraire. Comme je ne le connais pas encore tout à fait, j'en invente un.

Puis un groupe de soldats arrive, commence à démanteler des morceaux du vieux train du plancher au plafond et à inspecter les moindres recoins à la lampe de poche. Ceux-ci photographient l'intérieur du plafond rouillé, démontent les sièges et rampent même sous les wagons. Je me prends à espérer qu'on n'ait rien caché sous mon banc pendant que je dormais…

Après les douaniers et les soldats, des vendeurs ambulants envahissent l'intérieur des wagons éclairés par les premières lueurs du soleil ouzbek. Dans les couloirs étroits, des femmes et quelques hommes offrent des montres, de la nourriture (incluant des brochettes de viande !), des fournitures de bureau, des jouets, des vêtements pour tous les âges. Chacun des colporteurs circule sans cesse jusqu'au prochain arrêt, où un nouveau flot de marchands les remplace pour vendre les mêmes produits, comme cette calculatrice qu'on a bien dû m'offrir cent fois.

Pour me soustraire à ce marché, je vais m'étendre sur la couchette du haut, aussi confortable que le dessus d'une étagère. Ma banquette tout juste libérée devient cependant instantanément le lieu où toutes les vendeuses s'arrêtent pour remettre leurs babioles en ordre et parler bruyamment entre elles.

Sur ma tablette, je peine à dormir. Le train tangue beaucoup sur les rails inégaux. Et avec le soleil du désert qui monte rapidement dans le ciel, il fait déjà plus de 40 degrés dans le wagon. Les fenêtres qui ne s'ouvrent que de quelques centimètres se couvrent de condensation. Je regarde avec colère les passagers et même les employés du train forcer pour pousser leurs déchets à l'extérieur de ces petites ouvertures…

Suffisamment courbaturé, je descends de mon nichoir pour me promener un peu. À l'extrémité du wagon, je glisse la porte du lieu d'aisances. Je ne suis même pas surpris de voir que les toilettes sont en fait un trou dans le plancher. En revenant à ma place, le couloir est bloqué par un tuyau fissuré sorti du plafond. Le flot continu d'eau qui se déverse sur le plancher est tel qu'on dirait qu'un barrage hydroélectrique vient de céder. Je suppose que ce n'est pas la première fois que cela se produit puisque je semble le seul surpris par ce problème de plomberie !

*

Ce n'est qu'à 17 h que je débarque à Noukous. Je m'extirpe du train, trempé de sueur et d'eau issue du plafond. Mes jambes peinent à enjamber mon vélo, et je suis dans un état second causé par la fatigue et l'impossible brouhaha. Je dois me concentrer pour savoir si je viens de faire un rêve ou de vivre la réalité.

Ce voyage chaotique en train a certes réussi à m'enlever quelques centaines de kilomètres de route dans cette région, l'une des plus isolées du monde. Mais l'expérience m'a surtout convaincu qu'il n'y a rien qui bat le bonheur et l'indépendance de voyager à vélo.

ASSAY
SPC

La gare de Beïnéou, animée même au beau milieu de la nuit.

63 $ POUR DEUX SEMAINES

OUZBÉKISTAN

J'apprends juste avant mon entrée en Ouzbékistan que le pays désertique compte encore moins de guichets automatiques que de gazon. À la frontière, j'échange tout ce qui me reste d'argent kazakh : l'équivalent de 63 $ CA. C'est très peu pour survivre jusqu'à je ne sais quand, surtout que les cartes de crédit étrangères sont inutilisables partout au pays.

Le territoire est difficile à traverser à vélo. En plus du climat aride, je dois passer presque quotidiennement des barrages policiers. On m'y demande systématiquement mon passeport et mon itinéraire, que l'on inscrit dans de grands registres. L'un des policiers me demande si je suis payé pour faire ça. « Non, lui dis-je, c'est pour le plaisir. » Il me regarde avec de grands yeux. On n'a pas la même définition de plaisir, semble-t-il se dire.

Comme les villes sont aussi très éloignées les unes des autres, je roule de longues distances chaque jour. Je campe souvent à seulement quelques mètres de l'asphalte, évitant de m'aventurer sur le sol mou. Entre la grand-route et les dunes, le vent nocturne me souffle au visage du sable et des odeurs de mazout.

Les jours passent, et avec eux ma patience. Un flot incessant de camions me dépasse en klaxonnant dans mes oreilles. Un après-midi, cinq jeunes arrêtent leur automobile dans le but de me parler. Ils en profitent pour faire le ménage de l'intérieur de leur auto en lançant leurs déchets à quelques mètres. Devant cette scène grotesque, je tente un commentaire qui pourrait les arrêter, mais ils ne saisissent même pas ce qui peut bien me fâcher ainsi.

Cette ignorance par rapport aux déchets n'est pas unique à cette contrée, au contraire. Plus de la moitié de la population mondiale n'a pas accès à une collecte régulière des ordures. Dans le monde, 40 % des déchets sont inévitablement jetés dans des sites non réglementés, quand ce n'est pas n'importe où, au hasard.

J'ai beaucoup de difficulté à m'habituer à ce manque de connaissances et à cette négligence à l'égard de l'environnement. En voyant tous ces déchets sur mon chemin, j'ai pratiquement l'impression d'avoir fait l'effort de recycler pour rien pendant 20 ans...

*

Je trouve un hôtel à 9 $ la nuit dans la petite ville oasis de Khiva. Selon la légende, la ville a été fondée par le fils de Noé, Sem, qui y aurait creusé un puits. J'aurais aimé qu'il y installe quelques guichets automatiques en même temps !

Le lendemain, je m'engage de nouveau sur les routes cabossées, mais je dois constamment serrer les vis de mon vélo qui se desserrent à cause des vibrations incessantes. La chaleur et le sable continuent de m'irriter les fesses et les cuisses. Par contre, la route tourne à quelques reprises, assez pour que le vent, normalement de face, m'arrive de côté. L'amateur de voile que je suis tente de s'en bricoler une et de l'installer à l'avant du vélo. Je commence par utiliser ma serviette, que je fixe à l'aide de quelques attaches rudimentaires sur les poignées de mon guidon et d'autres sur mes sacoches avant. Mais la serviette s'avère bien trop petite.

Quelques jours plus tard, j'essaie cette fois avec la bâche servant de protection sous mon plancher de tente. Les points d'attache font toujours défaut, mais le véritable problème est que mon corps freine encore trop le vent derrière la voile. Et puis la toile est tellement grande qu'elle traîne presque au sol. Un vrai plan pour avoir un accident!

Je jongle avec l'idée de fabriquer un mât à partir de mon trépied d'appareil photo, que j'attacherais sur mon support arrière. Mais je me rends compte que durant la demi-heure déjà utilisée à effectuer différents tests, j'aurais pu avancer de quelques kilomètres. Je repars, déçu.

*

Cinq cents kilomètres de sable après Khiva et deux semaines après mon entrée au pays, j'arrive à Boukhara, dans le centre-sud du pays. Là, j'apprends avec soulagement que le plus bel hôtel de la ville possède un guichet automatique. On peut même y retirer de l'argent américain. Ce qui vaut nettement son pesant d'or, car le taux de change officiel est deux fois moins avantageux pour les sums ouzbeks. Je retire donc des dollars américains au guichet pour les convertir ensuite en sums auprès des échangeurs d'argent un peu louches. La devise ouzbèke n'ayant qu'une très faible valeur, ces hommes sont facilement identifiables au marché de la ville, avec leurs gros sacs de sport remplis de billets. En me retrouvant avec ces épaisses liasses où chaque papier porte l'inscription « 1000 », je me sens comme Pablo Escobar! Le porte-monnaie ne sert à rien ici, il faut transporter son argent dans un sac! Enfin, j'ai les fonds qui me permettront de me reposer un peu.

Je découvre que Boukhara est une ville antique qui a été sous domination perse, puis grecque sous Alexandre le Grand, et ensuite intégrée dans différents royaumes locaux et arabes. Le style architectural de la ville se modifie à nouveau au retour des Perses. Les remparts grossissent, mais pas suffisamment pour arrêter les Mongols de Gengis Khan au 13e siècle. Cent cinquante ans plus tard, les Perses reprennent une dernière fois le contrôle, jusqu'à l'arrivée des Russes à la fin du 19e siècle.

Aujourd'hui, l'architecture de la vieille ville est fantastique, avec ses nombreuses mosquées et ses imposantes et anciennes médersas (écoles). À boire le thé sur de grands tapis, entouré d'immenses coupoles turquoise et de murs bariolés de bleu rappelant la porcelaine, le dépaysement est total.

Vêtements nettoyés et vélo huilé, je reprends mon parcours quelques jours plus tard en sortant de la ville bien plus heureux qu'à mon arrivée. La route semble descendre plus que monter, et même le vent a tourné pour m'aider à me propulser.

Qu'on vienne me dire que l'argent ne fait pas le bonheur!

L'omniprésente brique beige des bâtiments de la ville de Khiva
donne l'impression que la ville a poussé du désert.

OTKUDA MATATA

OUZBÉKISTAN

« *Otkuda ?* » D'où viens-tu ?

Je dois entendre cette question des dizaines de fois par jour. On me la crie tellement de tous côtés que j'ai même parfois de la difficulté à savoir d'où viennent les voix.

Dans toutes les anciennes républiques de l'Union soviétique, la majorité des gens de plus de 30 ans parlent assez bien le russe. Pendant des décennies, les langues locales comme l'ouzbek ou le kazakh ont été réprimées au profit de la langue de Tolstoï. Aujourd'hui encore, celle-ci est abondamment utilisée comme *lingua franca* entre les peuples, de la même façon que l'anglais peut l'être entre les différentes nations d'Europe.

Sur les routes ouzbèkes, j'entends donc la question à longueur de journée de la part des automobilistes, des piétons, et même du nombre incroyable de cyclistes locaux. Leurs vélos sont rouillés, immenses, ne possèdent qu'une seule vitesse, et semblent tout droit sortis de l'entre-deux-guerres. Adultes comme enfants viennent pédaler à mes côtés en me lançant des « *Hello* » et des « *Salam alaykoum* » souriants. Avec une inébranlable confiance, l'un d'eux recourt à son plus bel anglais et m'envoie un énergique « *Good morning!* »... à 16 h. J'éclate de rire et lui renvoie son « bon matin ».

Je suis aussi constamment surpris et impressionné par leurs connaissances géographiques. Presque chaque fois que je réponds Canada à l'un de leurs *otkuda*, je les vois réfléchir quelques secondes avant de me demander de leur confirmer la capitale : « *Atawa ?* » De mon côté, j'aurais été bien embêté de pouvoir nommer la capitale de l'Ouzbékistan* il y a quelques mois à peine.

Mais mon plus mémorable *otkuda* revient à ces deux gars qui m'ont dépassé sur une toute petite moto. Le premier conduisait, le torse pressé contre ses poignées, alors que le second, assis derrière, tenait dans ses bras une grosse chèvre haletante. Celle-ci semblait se demander ce qui se passait. Je suis prêt à jurer que les deux hommes et la chèvre (!) m'ont crié « *Otkuda ?* » d'une seule voix, sans même ralentir pour entendre ma réponse.

*

Après m'avoir questionné sur mon pays d'origine, on s'enquiert généralement de ma situation matrimoniale. Puisque personne ne semble encore croire qu'il n'est pas anormal d'être célibataire à 30 ans, je commence à m'inventer une épouse. L'été précédant mon voyage, j'avais rencontré l'animatrice Maripier Morin durant l'enregistrement d'une émission de télévision, et j'ai une photo de moi en sa compagnie dans mon téléphone. Je sors le cliché lorsqu'on me demande de voir mon épouse...

« Es-tu marié ?
– Oui, voici ma femme. Elle s'appelle Maripier.
– Oh wow !
– Oui... Mais comme elle n'aime pas trop le vélo, elle m'attend à la maison. »

*

Les Ouzbeks ont beau être curieux, ils demeurent toujours respectueux. Presque chaque matin, je trouve un groupe d'enfants qui attend patiemment à l'extérieur de ma tente pour voir qui sortira de la maison de toile qui a poussé dans leur champ.

Et les animaux semblent aussi curieux que leurs maîtres. À plusieurs reprises, je me réveille la nuit en sentant le sol trembler. Jetant un coup d'œil à l'extérieur de ma tente, je constate que je suis entouré de troupeaux de chevaux, de moutons ou de vaches venus explorer leur nouveau voisin. Une nuit, l'une de ces vaches ne se gêne même pas pour me péter au visage. C'est ma vie ces jours-ci. « *Otkuda Matata,* comme on le chanterait dans le *Roi lion*... Quel son fantastique ! »

* Je le sais maintenant : la capitale de l'Ouzbékistan est Tachkent.

Ce n'est pas tous les jours qu'un berger puisse voir un étranger s'installer dans son champ.

RÉUSSIR SA SORTIE

OUZBÉKISTAN

J'avais entendu des histoires d'horreur sur la complexité de sortir de l'Ouzbékistan. En plus de devoir systématiquement subir une fouille complète de ses bagages, la moindre infraction est suffisante pour se faire mettre en prison.

Un Britannique qui participait au même Mongol Rally que mes copains de la mer Caspienne en sait quelque chose. Un douanier a trouvé de la pornographie dans son ordinateur portable ! Expulsé de l'Ouzbékistan et refusé au Tadjikistan, il a dû rester collé une dizaine de jours dans la zone frontière, sans toilettes, sans eau, et nulle part où aller. Son compagnon de voyage a dû faire des allers-retours quotidiens pour lui apporter de la nourriture, du papier de toilettes et un téléphone. Il aura finalement réussi à communiquer avec son ambassade qui lui obtiendra un visa temporaire pour le faire sortir.

Ou comme ce couple belge qui m'a raconté avoir passé trois jours en prison parce que la dame avait des pilules pour l'aider à dormir. Ce médicament – et 72 autres – figure sur la liste des « drogues interdites » au pays. Pour s'en sortir, ils ont dû littéralement embaucher un avocat local et un traducteur, en plus de devoir négocier leur amende. Le tout leur a coûté presque 1200 $.

Et même eux se consolaient en se comparant à leur amie australienne, qui, elle, avait fait sept jours de prison pour avoir eu en sa possession – horreur ! – de l'aspirine, autre drogue interdite...

De mon côté, j'arrive à la douane un peu nerveux. Je me connais au moins quatre infractions différentes... Je me croise les doigts et pratique mon plus beau sourire. Un premier garde me pose quelques vagues questions sur mon équipement, et je pense m'en sortir plutôt bien lorsqu'il m'envoie au deuxième bâtiment.

Là, j'aperçois un dispositif à rayons X dans lequel je dois faire passer tous mes sacs. Le temps que je sorte les chercher et que je revienne, tout le monde est parti manger. Je m'assois et attends 45 minutes.

*

J'avais rempli un formulaire d'immigration dans le train lors de mon entrée en Ouzbékistan. Mais on ne me l'a pas remis. Je n'ai donc rien à tendre à la première douanière qui me le demande.

Je tente de m'en sortir et de m'excuser à l'aide de mes quatre mots de russe et de beaucoup de gestes. Elle acceptera finalement mes explications et me fait remplir en cachette un second papier. Une infraction de réglée.

Sur ce formulaire, je dois indiquer à nouveau combien d'argent j'avais lorsque je suis entré au pays. De peur qu'on ne retrouve le formulaire original, j'écris le même montant inscrit au préalable : 63 $.

Mais le problème, c'est qu'il est interdit de sortir du pays avec plus d'argent que ce avec quoi on est entré.

Comme j'avais peur d'en manquer, j'avais retiré une somme importante dans un guichet, et il me reste encore beaucoup d'argent. Et comme l'argent ouzbek ne vaut pratiquement rien et ne se trouve qu'en petites coupures, je dois avoir caché presque une centaine de billets un peu partout dans mes bagages. J'en ai mis sous mes semelles, avec mon poêle de camping, à l'intérieur de mon sac de couchage... Maintenant, c'est le temps de la fouille.

Le douanier responsable de cette étape est un homme plus qu'obèse. Son postérieur dépasse de tous côtés le petit tabouret sur lequel il est assis. À sa demande, je dépose et vide tous mes sacs sur la table devant lui. Pendant deux heures, nous passons chaque article en revue, un par un. « Ça, c'est quoi ? » me demande-t-il pour chaque objet. « Du fil dentaire, de l'ibuprofène, des cachets contre la malaria... » Pour chaque article, je dois lui mimer l'utilité. Il me trouve bien drôle lorsque j'arrive aux Imodium...

Après ma trousse de toilette, c'est au tour de mes outils. Je lui explique la fonction d'une corde à linge, des rustines destinées à réparer mes chambres à air, et même de mon manteau en duvet. Puis il trouve ma petite bouteille de vernis à ongles rouge vin, que j'utilise comme peinture à vélo. J'ai beau lui montrer que la couleur de mon cadre est la même, il ne veut rien entendre de mes explications. Sérieux comme un pape, il ajoute, sous le ton de la confidence : « C'est pour cela que t'es pas marié, hein ? »

La fouille se dirige ensuite vers mon équipement électronique. Toutes les applications sur mon téléphone y passent. Tous les dossiers sur l'ordinateur. À la recherche de vidéos compromettantes, le douanier découvre plutôt celles d'un magicien et d'autres d'Ouzbeks qui se promènent à vélo.

Son but est de savoir si je possède des photos qui pourraient faire mal paraître le pays au reste du monde. Même une image des champs de coton entrerait dans cette catégorie. Beaucoup de fermiers sont ici forcés de cultiver cette plante, et des centaines de milliers d'autres travailleurs doivent chaque année quitter leur poste afin d'aider à la récolte. Les professionnels de la santé quittent les hôpitaux. Les écoles et les universités ferment, vidées de leurs enseignants et de leurs étudiants.

Tous ces gens sont forcés de mettre leur vie en suspens pour aller récolter des profits qui ne se rendront qu'à quelques politiciens et haut placés. Cette situation ressemblant dangereusement à de l'esclavage fait en sorte que beaucoup de compagnies internationales refusent maintenant d'acheter du coton de l'Ouzbékistan. Malgré tout, le pays demeure l'un des plus grands exportateurs de ce produit dans le monde, et cela, bien qu'il ne possède ni la main-d'œuvre nécessaire ni même assez d'eau pour soutenir cette culture.

Une fois ma tente plantée à l'intérieur de cette maison en ruine, je prends le temps d'aller installer mon trépied, d'ajuster le cadrage et l'exposition dans mon appareil photo afin de bien voir les étoiles sur mon autoportrait.

Le douanier est satisfait de mes photos et continue sa fouille. Lorsqu'il prend ma petite radio Bluetooth dans ses mains, j'ai soudainement l'idée de lui faire une démonstration. Je lui fais signe d'attendre quelques secondes. Sur mon téléphone connecté à ma radio, je repère la chanson *I Get Around* des Beach Boys et la fais jouer à plein volume. Son visage s'illumine. Je réduis le volume après quelques secondes, mais il en redemande! «Non, non, non! Garde ça comme ça! On n'a jamais de musique ici», m'explique-t-il, la mine déconfite.

Le reste de la fouille s'accélère enfin, et je m'assure de passer vite par-dessus mes cachettes à billets de banque. Le douanier bien gras s'est même levé de son tabouret et se dandine sur les plus grands succès du groupe californien. Il fait d'ailleurs rire sa collègue lorsqu'il fait semblant de faire du surf!

Il ne me reste qu'un dernier bureau – et qu'une seule infraction – à passer. Un nouvel agent me demande mes pièces justificatives d'hôtel. La loi ouzbèke exige des touristes de dormir dans des établissements autorisés au moins une fois tous les trois jours, ce que je n'ai évidemment pas pu faire compte tenu de la distance entre les villes. Je lui mime un mouvement de pédalage avec mes mains, lui pointe l'étendue du désert sur ma carte et lui répète quelques fois le mot «vélocipède», qui a la même prononciation en russe qu'en français. Puis je fais un bruit de ronflement avec mon nez et mime un triangle avec mes doigts pour lui montrer que je dormais seul dans ma tente.

Et il me laisse passer!

Comme quoi un grand sourire, des talents de mime et un peu de Beach Boys peuvent ouvrir bien des portes!

LA TÊTE DANS LE VIDE

TADJIKISTAN

Je suis à Douchanbé, la capitale du Tadjikistan, un pays que j'aurais été fort embarrassé de placer sur la carte il y a peu de temps. J'ai de plus en plus l'impression qu'il est possible de se rendre au bout du monde à vélo. À condition d'y mettre le temps et l'effort.

Il y a quelques mois, j'ai croisé en Europe des cyclistes qui avaient fait la route du Pamir, dans l'est du pays. Je ne connaissais pas ce chemin qui connecte Douchanbé à Och, au Kirghizistan, en longeant les frontières afghane et chinoise. Ces cyclistes m'avaient décrit cette mythique traversée dans ces mots: « La route se trouve sur un plateau à une altitude de 4000 à 5000 m. C'est difficile d'y respirer, il fait froid, il neige, il vente. Il n'y a aucune végétation, aucun habitant, ni abri. La chaussée est souvent horrible... et la traversée dure un mois. »

Je suis resté silencieux quelques secondes après les avoir écoutés. Je m'imaginais déjà rouler dans ces conditions qui me pousseraient au bout de moi-même. J'irais donc dans le Pamir!

*

Ce défi maintenant à ma portée, je pars en paix et heureux de la capitale. J'apprécie les visites urbaines, mais c'est toujours un bonheur de retrouver la sérénité de la campagne. En plus d'admirer les paysages, j'aime être immergé dans des cultures complètement différentes. Je suis en train de réfléchir à la chance que j'ai de découvrir le monde par la seule force des mollets lorsque je croise un cycliste coréen descendant des montagnes. Il a l'air complètement défait. Il arrive du Pamir et peut à peine me murmurer que c'était la section la plus difficile de sa route. Plus que l'Inde, plus que l'Asie du Sud-Est...

Comme pour lui donner raison, je commence quelques heures plus tard à avoir des nausées. J'ai probablement ingéré une mauvaise colonie de bactéries à force de boire directement des rivières. Par excès de confiance et de paresse, j'avoue ne filtrer mon eau que beaucoup trop rarement...

Je me force pourtant à continuer de monter sur cette route qui n'est qu'un petit lacet rocheux étranglé entre deux falaises. D'immenses camions de transport en chemin vers la Chine m'envoient de la poussière plein la figure dans un vacarme assourdissant.

Je faiblis rapidement. Ma tête élance tellement tout à coup que je m'arrête, épuisé, devant une grosse sculpture posée sur un socle de ciment à quelques mètres du chemin. En ce début d'après-midi, je me couche dans un filet d'ombre autour de la structure. Je me sers de l'un de mes chandails en guise d'oreiller et m'étends de côté sur la surface trop étroite pour mon dos.

Je dors ainsi recroquevillé plus de trois heures, avant de me réveiller couvert de poussière, en plein soleil. Un homme se tient debout devant moi.

Sans me laisser le temps de reprendre mes sens, il s'assoit à mes côtés puis me crie au visage, en russe, qu'il est médecin. Le sexagénaire imposant gesticule, parle fort et débite des flots de paroles, mais je ne comprends pas un traître mot. Je pense qu'il doit certainement être le médecin le moins perspicace du monde. Je n'ai pu prononcer qu'une ou deux phrases, et il repart vers sa vieille bagnole.

J'ai à peine le temps de retomber épuisé sur mon grabat que l'homme crie de nouveau, cette fois pour m'ordonner de venir pousser son auto qui ne démarre pas. Je rassemble toutes mes forces pour me lever et réussis à me traîner jusqu'à l'arrière de son véhicule. Aidé de tout mon poids, je le bouge assez pour que son moteur reprenne vie. Sans ralentir, il part dans un nuage de poussière, me laissant debout au milieu de la route. Tant qu'à être levé, je décide de repartir.

Après seulement 2 km, je dois à nouveau m'arrêter.

Incapable d'avancer, le cœur au bord des lèvres, je m'appuie sur le garde-fou en bordure du précipice. J'ai le corps mou et la tête qui pendouille dans le vide. Vidé de mon énergie, je reste dans cette position une bonne heure, tellement faible que j'en pleure presque.

Je rassemble assez de forces pour diluer un sachet d'électrolytes dans le peu d'eau qu'il me reste. Complètement seul, à bout de ressources, je me demande quand mon état va s'améliorer. Puis un nouvel automobiliste s'arrête.

Celui-ci est plus perspicace à propos de mon état. Le samaritain laisse sa grande famille entassée dans son auto et vient m'offrir du pain et le quart d'un melon d'eau. Le fruit a l'effet d'un baume sur mon corps faible et déshydraté. Il goûte le paradis et me redonne les forces nécessaires pour continuer assez loin afin de trouver un endroit où poser ma tente. Je n'ai roulé que 20 km dans la journée, mais j'ai l'impression d'en avoir fait 10 fois plus…

*

La nuit est longue. Les camions chinois, par dizaines, continuent de passer lentement. Leurs longues remorques métalliques mènent un vacarme épouvantable sur cette route défoncée. La frontière avec la Chine n'est ouverte que certaines journées dans la semaine, et les poids lourds se suivent donc tous dans le but de sortir du pays au bon moment.

Au matin, encore chancelant et nauséeux, je me sens tout de même légèrement mieux. Je prends une grande respiration avant de commencer une autre journée. J'ouvre la porte de ma tente, je regarde mon vélo… et constate que j'ai deux crevaisons.

Des conditions qui me pousseraient au bout de moi-même, m'avait-on dit…

La cahoteuse « route du Nord » m'amène de Douchanbé à Kalai Khumb. À chaque tournant, une vue encore plus spectaculaire que la précédente se dévoile aux intrépides aventuriers et inspire le respect envers ceux qui ont défriché ce difficile passage.

ÇA COGNE DUR !

TADJIKISTAN

À 3250 m d'altitude, le premier des six cols à traverser au Tadjikistan est le moins élevé, mais aussi le plus difficile et le plus long à gravir.

La route est détruite et cogne dur sur le corps – les bras, le dos, le cou, le derrière – et sur mon matériel. J'ai soigneusement choisi mon équipement pendant mon année de préparation, et j'ai acheté un support à bagages en acier assez résistant pour transporter un humain. Mais les chocs sont ici assez violents et répétés qu'une des vis qui attache mon support arrière se brise en deux et ne laisse qu'un moignon de métal dans mon cadre. Accroupi sur le bord du chemin poussiéreux, j'essaie de me débrouiller avec ce que j'ai lorsqu'un habitant des montagnes vient à ma rescousse.

Lui et moi marchons jusqu'à sa maison, où nous réussissons à sortir la vis brisée et à remettre mon support en place grâce à une autre vis de rechange que j'avais en ma possession. Par contre, l'opération a pris du temps et la journée est déjà presque terminée. Mon sauveteur tadjik m'invite alors cordialement à passer la nuit chez lui. Sa maison compte deux pièces : une petite cuisine servant aussi de chambre pour les femmes, et une salle rectangulaire pour les hommes. Des nombreux enfants jusqu'aux grands-parents, tous dorment sur de longs coussins à même le sol.

Je ne suis pas encore tout à fait remis de mes malaises et j'ai encore les intestins qui gargouillent sauvagement. Je choisis donc de remercier mon hôte pour son hospitalité et d'installer ma tente sur son terrain plutôt que de dormir à l'intérieur. Je n'ai pas une folle envie de passer la nuit à enjamber toute la parenté afin de me rendre à la bécosse.

Mon emplacement de camping choisi, ses deux garçons se chamaillent gentiment pour savoir lequel m'aidera à monter celle-ci. Pendant ce temps, comme je ne peux partager la même table que les femmes, musulmanes, plusieurs hommes de la famille apportent à l'extérieur un pique-nique pour eux et moi. Nous mangeons sur une grande couverture dans le jardin, avec des pics enneigés défiant tout paysage de carte postale.

Les camions de transport chinois qui m'entouraient dans les derniers jours sont maintenant loin, et le seul bruit flottant dans l'air vient d'un ruisseau qui coule doucement au milieu du terrain.

*

Je prends congé de l'hospitalière famille le lendemain matin. Sur la mauvaise chaussée, je continue cependant d'avoir crevaison sur crevaison. Une fois, j'ai beau chercher, je suis incapable de trouver d'où l'air s'échappe de mon tube. En mode débrouillardise, je verse de l'eau dans le fond de ma petite casserole. J'y trempe ensuite des sections de ma chambre à air à moitié gonflée et je tente de repérer le mince filet de bulles qui s'en échappent. Durant cette tâche, je me fais dépasser par quelques enfants juchés sur des ânes. Je les regarde, presque envieux. Sur ces routes, leur moyen de transport semble plus fiable et plus confortable que le mien.

Il faut dire que la chaussée est loin d'être neuve. Cette route du Pamir, qui est l'une des seules voies à traverser cette branche de l'Himalaya, est utilisée depuis des millénaires. Les anciens peuples nomades l'ont d'abord piétinée, puis elle a été élargie à l'époque de la route de la soie, et enfin rendue plus praticable par les Russes à la fin du 19e siècle et dans les années 1930.

Mais elle ne semble pas avoir été entretenue depuis cette époque. Maintenant composée en parties égales de roches pointues, de sable mou et d'immenses nids-de-poule, on aperçoit encore ici et là sur la route des lambeaux d'asphalte moribond, souvenirs effrités de l'ancienne l'URSS.

Satbar et Ziodin sur le chemin de l'école. Dans beaucoup de pays du monde, prendre une photo est un événement rare et important. C'est donc une affaire sérieuse pour laquelle il ne convient pas de sourire.

Moment de répit durant une interminable montée.

Heureusement, la vue rachète amplement l'effort. Ce soir-là, je campe sur un promontoire avec comme paysage l'immense gorge que j'ai grimpée la journée même. Les dernières lueurs dans le ciel sont teintées de jaune et d'orangé, et les collines rougeâtres sont parsemées de quelques conifères accrochés aux murs de pierre. Alors que mes jambes pendent dans le vide au-dessus de la profonde falaise, j'ai la chanson thème du *Roi lion* en tête. Je ne me suis jamais senti aussi loin de la civilisation.

Le lendemain, deux jeunes de 12 ou 13 ans sortent de nulle part et se dressent devant mon campement en riant. Ziodin et sa sœur Satbar viennent d'escalader la falaise sur le chemin qui mène à l'école. Je me trouvais bon, quand j'étais gamin, de pédaler 6 km pour aller à l'école. Eux parcourent la même distance à pied, sous le soleil ou dans la neige, en grimpant un sentier au dénivelé important, à quelque 3000 m d'altitude!

Mes deux nouveaux amis attendent que je sois prêt à partir et continuent leur marche à mes côtés durant quelques kilomètres. Je me trouve ridicule de peiner à rouler à la même vitesse que leurs pas. Lorsque nos routes se séparent, un peu plus loin, je fais provision de leur énergie pour me permettre d'atteindre seul le sommet de ce premier col.

J'étais en sueur durant toute cette longue et lente montée, mais dès que j'arrête, le grand vent et le maigre mercure me saisissent. Je m'élance dans la descente pour me réchauffer.

La route molle et les nids-de-poule sont encore plus traîtres à grande vitesse. Je dois rapidement m'arrêter pour attacher avec de la corde tous mes sacs qui se décrochent et s'envolent du vélo. Ainsi sécurisé, je bondis d'une roche à l'autre, les mains serrées sur le guidon, dans un paysage rocailleux et sans végétation qui me fait penser à une Écosse fâchée.

Au fond de la vallée, je trouve le village de Kalai Khumb, une agglomération d'à peine 2000 habitants prisonnière des hautes falaises qui l'encerclent. Les hauts murs de pierre ont été coupés au centre par une tumultueuse rivière aux flots blancs. Ce torrent est la frontière naturelle avec le pays voisin, l'Afghanistan.

En m'installant dans un petit gîte sur le bord de l'eau, je dois me pincer pour y croire: je traverse le Pamir à vélo, et j'ai une chambre avec vue sur l'Afghanistan.

LE LONG DE L'AFGHANISTAN

TADJIKISTAN

Je pars de Kalai Khumb le matin du 9 septembre. Ce jour-là, on célèbre le 25e anniversaire de l'indépendance du pays. Dès la sortie de l'auberge, je me retrouve coincé en plein milieu d'un grand défilé sur la seule route du village. Les trottoirs sont bondés de spectateurs, de dignitaires et de caméras. Entre le cercle des fermières tadjikes et le club de judo des montagnes, je marche à côté de mon vélo la tête haute et je salue toutes les personnes croisées.

Enfourchant de nouveau ma selle, je longe durant quelques centaines de kilomètres la rivière déchaînée faisant office de frontière entre le Tadjikistan et l'Afghanistan. De chaque côté, les routes des deux pays sont presque poussées dans le cours d'eau par d'énormes falaises. Si la chaussée est défoncée du côté tadjik, celle qui se trouve à un simple jet de pierre du côté afghan n'est pratiquement qu'un sentier. J'ai l'impression d'être en 1930 depuis que je roule au Tadjikistan, mais la vue que j'ai des maisons et des habitants de l'autre côté de la rivière semble tout droit sortie du Moyen Âge...

Je vois plusieurs femmes et enfants faire la lessive à même le cours d'eau. De grands tapis écarlates tressés à la main sont plongés dans la rivière, avant de reprendre place dans les maisons en terre battue accrochées aux flancs de la montagne. Il y a peu de végétation dans cette pierraille, et je me demande comment il est même possible de survivre si loin de tout.

J'ai une partie de la réponse quand je passe là où se joignent deux montagnes à leur base. L'eau qui coule sur leurs parois forme des ruisseaux qui descendent jusqu'à de petits villages et alimentent suffisamment la végétation pour subvenir à quelques dizaines ou centaines de personnes. Accompagnés de quelques animaux, la majorité de ces habitants travaillent de longues heures quotidiennement afin de faire fructifier les minces parcelles de sol plat.

Lorsque je m'arrête, aux dernières lueurs du soir, enfants comme personnes âgées sont encore penchés sur leurs champs. Quand je sors de mon abri au matin, leur journée de travail est déjà recommencée. En silence, sans machinerie.

*

Partout sur cette bande riveraine, les enfants sont euphoriques. Je les vois courir au loin dans ma direction dans le but de me taper joyeusement dans la main à mon passage. Les plus hardis se campent sur leurs jambes écartées au milieu du chemin, prêts à claquer ma paume le plus fort possible. Et dès qu'ils me voient approcher, ils répètent des « *Hello* » à l'infini.

Le travail est long et ardu pour tirer
sa subsistance dans ces oasis montagnardes.

Jour après jour, ces bruyantes manifestations peuvent devenir assourdissantes. Mais je me dis que l'occasionnel cycliste est probablement leur seule distraction dans cette région isolée. Si reculée, en fait, que le taux de mortalité infantile est ici de 35 sur 1000. Chaque année, cela signifie que 3,5 % des enfants de moins d'un an décèdent. C'est sept fois plus qu'au Canada.

Et tristement, le Tadjikistan fait presque figure de premier de classe à côté de son voisin immédiat. Les Afghans se classent en dernière position mondiale, avec un taux de mortalité si élevé que plus de 12 % des enfants ne se rendent pas à leur premier anniversaire. Ce bilan déplorable résulte principalement de la mauvaise qualité de l'eau. Vivre à proximité des animaux, sans égouts ni canalisations, et puiser son eau presque à côté des toilettes à ciel ouvert, tout cela a de rapides conséquences sur l'eau des ruisseaux, pourtant à l'origine propre. Le Moyen Âge, disais-je.

Je laisse donc ces enfants pleins de vie s'émerveiller autant qu'ils le veulent devant un gars sale qui passe dans leur village sur un vélo rouge.

Une bienveillante famille tadjike photographiée dans l'une des deux pièces de sa maison.

Je viens tout juste de m'arrêter et n'ai pas encore eu le temps d'ouvrir mon sac de tente lorsqu'une grand-mère m'aborde dans le but de m'offrir des fruits et de m'inviter chez elle de l'autre côté de la route.

Le contraste est frappant entre la peur occidentale des étrangers et l'absence totale de stress dans ces pays moins fortunés. Ici, lorsque tu vois un étranger de ta fenêtre, tu vas l'inviter.

La grand-mère m'amène chez elle et dépose devant moi une énorme quantité de noix de Grenoble. J'hésite – je ne sais pas si je dois en choisir une ou toutes les prendre. La dame frêle et ridée en prend alors une dans le creux de sa main, et brise la coque d'une seule main, sans même forcer! Elle lève ensuite son regard vers moi, l'air de dire: «Tu vois, ce n'est pas compliqué.»

Les enfants de cette femme forte, trois filles et deux garçons, m'apprennent que leur mère est finalement moins âgée que je ne le croyais. Elle n'a que 53 ans, mais je lui en aurais donné presque 70. Le soleil, le travail dur et les conditions de vie difficiles ne pardonnent pas. Et lorsque la maladie frappe, comme pour le défunt père de ces enfants, les soins et les médicaments sont presque impossibles à obtenir.

Pareille à toutes les habitations autour, la maison familiale en terre battue n'a pas l'eau courante. La vaisselle, la douche, la lessive, tout se fait dans le ruisseau qui passe sur le terrain. La maison ne compte que deux pièces: la cuisine sert de chambre aux filles, et la pièce d'entrée est celle des garçons. Au-dessus du logis, on entrepose le foin destiné aux bêtes.

Les toilettes à l'extérieur sont constituées simplement d'un immense trou dans le sol recouvert de vieilles planches et entouré de bâches. Quelques orifices sont percés dans ces planches qui craquent sous les pas, et qui forcent la réflexion sur le réel besoin d'y aller…

J'accepte cette fois l'invitation à dormir à l'intérieur et je passe la nuit sur des coussins que les garçons m'installent dans leur pièce. Je les remercie au matin en leur distribuant des autocollants et des épinglettes du Canada, bien petit cadeau en échange de leur accueil, de leur ouverture et de leur générosité. Sans même avoir une langue commune, ce genre d'échange s'imprime plus profondément en moi que la plus belle photo de paysage.

MARIAGE PAMIRI EN VUE

TADJIKISTAN

Debout sur le bord du chemin cabossé à prendre une photo, deux autres cyclistes ralentissent à mes côtés. L'Allemand Freddy et le Français Pierre n'en reviennent pas: « Tu es le premier cycliste qu'on dépasse depuis notre départ d'Europe! » Devrais-je en être flatté?

Le duo s'est connu en Australie il y a une dizaine d'années. Depuis, ils rêvaient de pédaler ensemble de l'Europe à la Chine. En parlant un peu avec ces sympathiques lurons, je réalise que nous avons suivi une route très similaire. Nous décidons de joindre nos coups de pédale et devenons rapidement un trio.

Freddy vient du sud de l'Allemagne et a un adorable accent qui le fait prononcer le mot village « willage ». Il est blond, aime se faire prendre en photo et rit de toutes mes blagues. Il roule vite, est un solide grimpeur et préfère être à la tête du peloton. Après quelques détours et voyages, il vient de terminer ses études en vue d'être enseignant au secondaire.

Pierre a une chevelure brune hirsute, et ne s'est pas rasé le visage depuis le début du voyage. Sous sa longue barbe, on peine à reconnaître en lui le jeune Parisien lisse qu'il était sur sa photo de passeport. Avant de partir, il s'occupait de l'administration au sein d'une troupe de théâtre. Mais comme il se passionne pour la construction de vélos, il aimerait essayer d'en vivre à son retour à Paris. Il a d'ailleurs lui-même fabriqué son vélo avec trois cadres qu'il a soudés et assemblés en un triangle. Haut perché sur cette longue et étrange construction, son vélo est un véritable aimant pour tous les gens que l'on croise. « Pourquoi un tel vélo? » lui demande-t-on. « Pourquoi pas? » répond-il simplement.

Les saisons semblent s'enfiler rapidement à mesure que nous gagnons à nouveau de l'altitude. En nous éloignant de la rivière et de la frontière afghane, nous montons enfin progressivement sur le haut plateau du Pamir. Les feuilles changent de couleur et finissent par tomber en quelques jours.

Cette fameuse région du Pamir s'étend sur quelques pays, mais occupe surtout la partie est du Tadjikistan. Ce territoire autonome du Haut-Badakhchan que nous traversons compose presque la moitié du pays, mais ne compte que 3% de sa population. Et ces quelque 250 000 habitants éparpillés principalement dans deux ou trois villes ainsi que dans des villages de montagne se définissent avant tout comme Pamiris plutôt que Tadjiks.

Les Pamiris constituent un groupe de huit petites nations différentes, qui parlent chacune sa propre langue et pratiquent toutes une forme plus rare de l'islam. Après avoir été rattachés de force au Tadjikistan dans une sanglante guerre civile qui a suivi le démantèlement de l'Union soviétique, ils sont aujourd'hui un peu laissés pour compte par le gouvernement central. Et pourtant, aussi éloignés soient-ils dans leurs montagnes difficiles d'accès, ils figurent parmi les gens les plus accueillants et les plus généreux que j'ai rencontrés au fil de mon voyage.

Notre trio se pose chez l'un d'eux après une longue journée. Voulant profiter du terrain plat et du ruisseau, nous abordons Davlat afin de lui demander si nous pouvons camper sur son terrain. Cinq minutes plus tard, nous sommes assis à l'indienne dans sa modeste maison à nous faire servir un festin local : des pommes de terre et du thé.

Davlat nous parle en russe même si nous ne connaissons, à trois, qu'une dizaine de mots. Ici aussi le russe demeure bien présent plusieurs années après l'effondrement de l'empire soviétique. Imposer de force une culture commune à cet ensemble de peuples semble certainement avoir fonctionné.

Notre hôte se rend compte de nos lacunes linguistiques. Il se met donc à répéter ses phrases... plus fort ! Nous réussissons malgré tout à communiquer à force de mimes et d'onomatopées.

Ces regards sincères et celui, admiratif, d'une sœur pour son aînée contribuent à me persuader que les humains sont tous foncièrement bons.

L'immensité du paysage dans le Pamir
avale mes amis Freddy et Pierre.

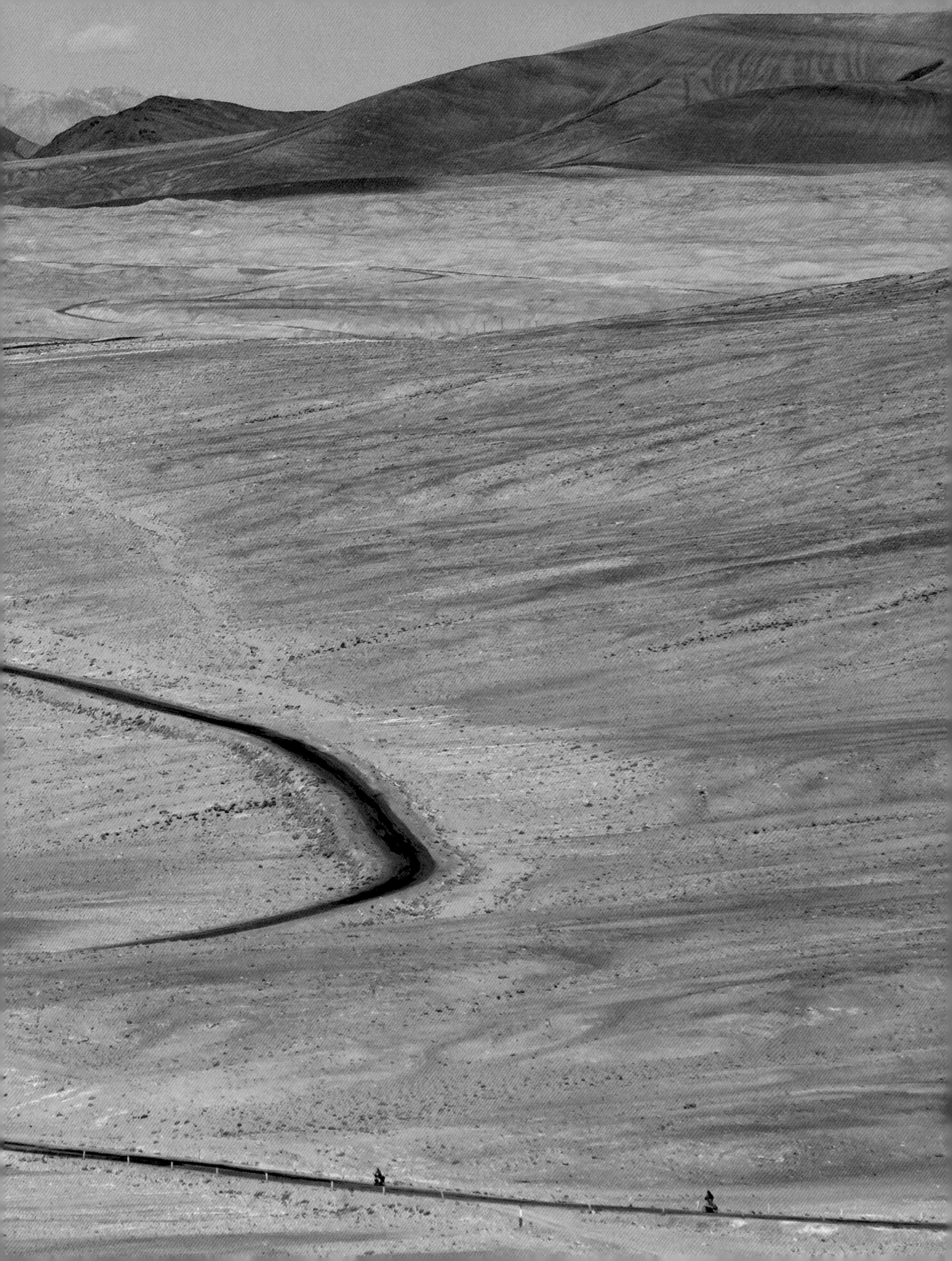

En analysant nos physiques respectifs, le Pamiri nous classe en se référant à des catégories qu'il connaît bien. Freddy, avec ses cheveux blonds, ressemble à un Russe. Pierre, avec sa longue barbe, à un taliban, et moi, avec ma peau basanée et ma grosse face, à un Pamiri. Je suis le meilleur parti à marier.

« Es-tu marié ? » me demande-t-il donc. Je me suis depuis longtemps habitué à cette question. Mais pour la première fois, après un honnête « non », notre hôte me demande : « Veux-tu que je te trouve une femme ? » Mes comparses européens rigolent.

« Pourquoi moi et pas eux ? Ils ne sont pas mariés non plus !
– Tu ne veux toujours pas que je marie ma sœur à un taliban ? » me lance le fermier, mi-rieur, mi-outré.

Le repas se poursuit, mais notre hôte revient sans cesse sur le sujet.

Pour la quatrième fois en 20 minutes, Davlat prend son téléphone et insiste pour me trouver une épouse. « Djonathanne, cinq minutes et c'est réglé ! » me répète-t-il.

Je rigole un peu moins, mais mes amis, eux, en redemandent. Ils lui demandent même de voir des photos de sa sœur et d'autres membres de sa famille pour que nous puissions mieux prendre « notre » décision…

C'est pour moi le moment de remercier Davlat pour son hospitalité et de me retirer dans ma tente. Comme il me suit sur les talons, je lui dis que je vais réfléchir à son offre afin de le faire partir.

Mais au petit matin, quand j'ouvre ma porte de nylon, le Pamiri est déjà là à m'attendre. Une théière dans une main et son éternel téléphone dans l'autre, il me demande si j'ai changé d'idée pour le mariage. Je ris un peu jaune, mais cette fois son expression est complètement sérieuse. C'est une vraie question.

Je me tourne vers Freddy et Pierre, qui ont tous deux la tête sortie de la tente qu'ils partagent. Ils ont déjà espoir d'assister à la célébration dans la journée. « Je sais qu'on part ensemble d'habitude, les gars, mais je suis pas mal prêt, là. Vous me rejoindrez plus tard ! »

À 12 HEURES DE LA MORT

TADJIKISTAN

Maintenant bien en selle sur les plateaux du Pamir, les cols s'enchaînent à environ 4500 m d'altitude. Mes amis Freddy et Pierre et moi, nous avons vraiment l'impression de rouler sur une autre planète. Autour de nous, dans un air pur et transparent, le ciel céruléen est dénué de nuages. Sur le sol aride et rocailleux, tout signe de végétation a disparu depuis longtemps. Et même si nous ne sommes encore qu'en septembre, les pics surplombant l'horizon sont couverts de neige.

Le Coréen croisé après Douchanbé ne m'avait pas menti. Cette route est la plus difficile que nous ayons empruntée depuis le début. Mais c'est aussi la plus belle et, bien que cela puisse paraître cliché, nous en apprécions chaque instant.

Nous entrons en fin d'après-midi à Alichur, seul point habité à des lieux à la ronde. Le village planté au milieu du plateau rocheux n'est formé que de quelques bâtiments en argile. L'électricité qui est acheminée ici par une seule ligne sur des centaines de kilomètres est instable et fait souvent défaut. Comme partout à l'extérieur des villes, personne ici ne possède l'eau courante. Les habitants se rendent quotidiennement au puits situé au centre du village afin d'aller pomper l'eau manuellement en fonction de leurs besoins. Freddy et moi y offrons notre aide à un garçon de cinq ans qui essayait de transporter son trop grand réservoir d'eau jusque chez lui.

Plus que jamais, je suis à des années-lumière de mon ancienne vie. Je souhaitais voir ce qui se cachait entre les endroits touristiques. Je suis en plein dedans. C'est beau, mais c'est aussi souvent triste.

*

Nous sommes en train de déjeuner dans le seul restaurant du village lorsque la porte s'ouvre sur Marty, un Britannique de 47 ans qui fait lui aussi un tour du monde à vélo. Bien que je l'aie déjà côtoyé à trois ou quatre reprises depuis le Kazakhstan, je peine à le reconnaître. Avec sa peau verdâtre et presque transparente, sa démarche titubante et son souffle court, il a toutes les apparences d'un zombie.

Le blanc de ses yeux a disparu, complètement effacé par une pupille noire excessivement dilatée. À l'altitude où nous nous trouvons, il ne reste qu'un peu plus de la moitié de l'oxygène disponible dans l'air, et Marty souffre très visiblement du mal des montagnes.

Il se laisse choir à notre table et nous raconte d'une voix creuse et sifflante qu'il s'est arrêté au village la veille en matinée, déjà épuisé et faible. Sachant que nous n'étions qu'à une journée de distance derrière lui, il s'est mis ce matin à notre recherche lorsqu'il a vu que son état ne s'améliorait pas.

C'est donc à quatre que nous sortons du village. J'ai déjà roulé un peu avec Marty par le passé, et je suis donc particulièrement surpris de la difficulté qu'il a maintenant à nous suivre. Nous devons sans cesse l'attendre et, chaque fois qu'il parle, il cherche tellement son souffle qu'on croirait qu'il se noie. Cela ne lui ressemble pas.

Nous roulons très lentement et, après seulement une quarantaine de kilomètres, nous prenons la décision d'arrêter pour ne pas épuiser davantage notre ami. J'ai le temps de monter mon campement et de préparer le souper pour tout le groupe tandis que Marty réussit à peine à sortir ses piquets de tente. Il est si désorienté qu'il se tient debout devant celle-ci, sans pouvoir se rappeler comment la monter. À moitié sérieux, nous lui demandons de ne pas mourir durant son sommeil puisque nous n'avons pas envie de traîner son corps...

L'Anglais râle, s'étouffe et tourne en rond, mais finit par passer la nuit. Toutefois, son état a empiré. Au tiers d'une journée plutôt facile, Marty se résigne finalement à arrêter un rare camion circulant sur la route déserte. Il prend place dans la boîte arrière en compagnie de chèvres qui lui urinent dessus sans qu'il ait même la force de se défendre.

Nous lui donnons rendez-vous à Murghab, la prochaine ville. Avec un peu plus de 6000 habitants, la ville est pourtant la deuxième plus grande de la région et compte même un hôpital. C'est là que le propriétaire de l'unique hôtel des lieux nous envoie pour retrouver notre malade. Comme si tout le village savait déjà tout de la condition de « l'étranger à vélo ».

Debout devant l'hôpital, je demande pourtant à un habitant comment m'y rendre. L'air surpris, il me répond que je suis littéralement appuyé dessus. Je ne peux croire que le vieil édifice à l'air abandonné est l'endroit où mon ami se fait soigner. Je le cherche dans des corridors déserts. Les lumières au plafond clignotent, les murs sont sales et écaillés, et tout est silencieux.

Je trouve finalement Marty couché sur un lit fait d'un grillage en métal. Il est seul dans la chambre pourtant disposée pour accueillir quatre patients. Le Britannique m'explique qu'on l'a gardé en observation depuis que le camion de chèvres l'a déposé ici. Normalement, le taux de saturation d'oxygène dans le sang se situe autour de 96 % à 99 %. À partir de 65 %, les fonctions mentales sont touchées, et sous la barre de 55 %, c'est la perte de connaissance. À son arrivée à l'hôpital, Marty n'était qu'à 58 % et son taux continuait de descendre !

Le médecin local a même annoncé à mon ami qu'il serait mort en moins de 12 heures s'il s'était entêté à pédaler.

Marty poursuit son incroyable récit. Il me dit s'être réveillé au milieu de la nuit précédente quand son tube d'oxygène a cessé de fonctionner. Au même moment, un préposé est entré dans sa chambre pour lui expliquer qu'il avait pourtant encore besoin d'assistance respiratoire afin de continuer à évacuer le liquide de ses poumons. « Écoutez, Mister Marty, la ville n'a plus d'électricité, c'est normal, ça arrive souvent. Donc, là, on va fonctionner sur la génératrice. Mais on n'a plus d'essence et on n'a pas d'argent pour aller en acheter. On aurait besoin de 5 $ pour... pour vous garder en vie, Mister Marty. »

Mon ami me raconte que c'est la première fois de tout son voyage qu'il ne marchande pas un prix. « Je lui ai donné 10 $ et lui ai dit de remplir le réservoir de la génératrice jusqu'au bord ! »

Quelques jours plus tard, Freddy, Pierre et moi avons repris notre longue route lorsqu'un camion s'arrête à nos côtés avec Marty à bord. Son taux d'oxygène est rétabli, mais le médecin lui a interdit de repartir à vélo.

Il s'excuse presque en nous abordant. « J'espère que vous ne me trouvez pas trop lâche, les gars ? » « Mais non, Marty, nous sommes juste heureux de ne pas avoir eu à traîner ton corps ! »

À 4200 m, le manque d'oxygène force Marty à s'arrêter.

6

La «moderne» station d'essence de Murghab, laquelle a au moins l'avantage de fonctionner même durant les nombreuses pannes d'électricité!

NOUS SOMMES UNE ÉQUIPE !

TADJIKISTAN / KIRGHIZISTAN

La majeure partie de ce que je mange depuis des mois doit se transporter autant sous le soleil que dans le froid, et résister aux chocs dans des sacoches de vélo: des pâtes, des patates, des pommes et pas mal de barres chocolatées Snickers. J'ai cessé de me faire de longues listes mentales de ce que j'aimerais manger pour éviter de sombrer dans la dépression.

Depuis une semaine, je répète à la blague à Freddy et à Pierre que mon prochain repas au restaurant sera un steak, une pomme de terre au four et une salade César. Nous sommes enfin attablés au médiocre hôtel Pamir, à Murghab, et l'employé nous présente les trois plats offerts. Je crois l'avoir entendu nommer mon souhait le plus cher, et je regarde mes amis d'un air triomphant lorsque je demande à l'employé de répéter. « Avez-vous bien dit "bifteck" ? » « Non, me répond-il, j'ai dit *bichkek*. C'est de la viande hachée avec un œuf. »

Mes deux amis se mettent à rire devant mon visage déconfit. « Bah, c'est assez proche, finalement. Nous allons en prendre trois », ai-je commandé.

*

Après Murghab, la route en direction nord commence à longer de très près la frontière chinoise. Protégée par plusieurs rangs de fils barbelés, la zone limitrophe devrait pourtant se trouver à au moins une cinquantaine de kilomètres à l'est, selon nos cartes. Mais l'empire du Milieu empiète sur ses voisins et échange leur territoire contre des rénovations de routes et d'infrastructures. Situation doublement gagnante pour la Chine qui peut par la suite utiliser ces mêmes routes réparées comme voies de sortie vers l'ouest pour ses propres produits. La grande muraille moderne est aujourd'hui bien plus perméable depuis que la politique et l'économie ont remplacé les briques et les pierres.

Il fait froid.

Toute la journée, j'ai roulé en alternant une main sur le guidon et l'autre collée sur ma peau dans mon pantalon pour tenter de les réchauffer. À cette altitude, le simple geste de souffler de l'air chaud sur mes doigts me prive trop d'oxygène. Je ne l'essaie qu'une seule fois et je suis au bord de l'évanouissement. Parler en pédalant m'épuise. Je dois aussi me contraindre à pousser mon vélo à quelques reprises afin de réchauffer mes pieds engourdis par le vent glacial.

La noirceur venue, le vent est si violent que nous posons nos tentes le plus près possible d'un grand rocher pour nous en préserver. Mais la puissance des éléments fait vaciller la flamme de mon poêle et lui enlève toute chaleur. Déjà qu'à cette altitude de 4500 m, l'eau bout à une température aussi basse que 85 °C, mes pâtes prennent une éternité à cuire. J'attends mon souper avec impatience derrière mes murs de toile, emmitouflé dans quelques chandails, deux manteaux, ma tuque et mon sac de couchage. Il se met à neiger.

*

Notre trio s'échine en silence dans la longue et difficile montée qui nous conduit à la frontière du Kirghizistan. Pierre est à mes côtés. Du haut de son immense bicyclette, il se penche vers moi et me confie, comme s'il venait juste de s'en rendre compte : « Je n'aime même pas ça, le vélo... »

Je m'étouffe de rire ! « Et tu as décidé de rouler de Paris jusqu'à la Chine parce que... ? » Il me lance la réponse la plus logique qui soit : « J'aime encore moins marcher ! »

Le poste frontalier se trouve au sommet du col. Nous y parvenons complètement frigorifiés, les mains cachées sous les aisselles, un cache-cou monté jusqu'aux yeux et les jambes raidies par le froid et l'effort. Nous prenons à peine le temps de déposer nos vélos et nous nous engouffrons dans le premier bâtiment, lequel sert de bureau à deux douaniers. Nous nous entassons devant un poêle au charbon qui ronfle à plein régime pour réchauffer la petite cabane. Enfin, nous réussissons à bouger suffisamment les doigts pour tendre nos passeports.

Freddy, sur son vélo régulier, et Pierre, derrière son impressionnante bête formée de trois cadres soudés et vissés ensemble, s'avèrent d'authentiques complices.

L'un des douaniers me réclame alors mon papier d'immigration, que l'on aurait dû me donner à mon entrée au pays. J'ai une impression de déjà-vu en Ouzbékistan... Mais même si l'agent n'a pas l'air trop surpris d'apprendre qu'on ne m'a pas redonné mon formulaire, il est beaucoup moins compréhensif que son collègue ouzbek.

Le douanier flaire la bonne affaire et sort son manuel de traduction. Laborieusement et en suivant le texte avec son doigt, il me lit: « *You have broken the law.* » Toutes mes excuses et mes explications reçoivent pour réponse un ferme « *Go back.* ». Nous tournons en rond et je perds patience.

« Ça fait un mois que je me farcis des cols plus hauts que les nuages, des chemins qui brisent mon vélo et mon derrière, que je manque d'oxygène et que je pense devoir me faire amputer les mains et les pieds tellement il fait froid. Et là tu penses que je vais virer de bord et retourner en Ouzbékistan? OU-BLIE ÇA! »

Du moins, c'est ce que je me dis dans ma tête. Ma réponse en russe est légèrement moins élaborée... « *Niet* » est tout ce que je peux trouver.

Freddy et Pierre, eux, sont entrés au pays par une autre frontière et possèdent leur précieux papier. Le même douanier tente de se débarrasser d'eux et leur dit qu'ils peuvent s'en aller. Mais après avoir partagé avec moi autant d'aventures durant ces misérables dernières semaines, mes amis ne sont pas prêts à m'abandonner. Freddy s'avance vers le douanier récalcitrant et, tel un mousquetaire, lui déclare: « Nous sommes une équipe! Nous passons tous ou nous restons tous ici. » Pierre opine du bonnet et s'assoit confortablement dans le coin du bureau.

À force d'attente obstinée, et d'un billet de 10 $ US pour accélérer sa réflexion, je réussis finalement à remettre la main sur mon passeport. En passant la porte, le douanier, qui espérait sans doute obtenir plus de nous, me lâche les quelques autres mots d'anglais qu'il connaît, et qui ne se trouvent sans doute pas dans son manuel: « *You are a bitch!* »

*

La zone frontière, ce *no man's land* entre les deux pays, doit avoir une vingtaine de kilomètres. C'est en bas d'une immense descente qui nous amène dans la verdure d'une vallée que nous entrons au Kirghizistan. Et c'est dans ce paysage bucolique que notre solide équipe doit se séparer. Je continue ma route vers le nord pendant que mes comparses bifurquent vers l'est, vers Kachgar, en Chine.

J'ai le cœur gros en me séparant de ces deux mabouls qui sont devenus mes frères. Nous nous serrons dans nos bras et nous faisons une promesse: ce n'est qu'un au revoir.

Pierre et Freddy roulent côte à côte sur l'un des rares chemins qui traverse ce décor grandiose.

Je profite d'une longue descente en suivant
la frontière chinoise, à ma droite.

« ICI, ICI ET ICI... »

KIRGHIZISTAN

Les Kirghizes de tous âges me saluent joyeusement. Des hommes très âgés se mettent la main sur le cœur comme pour me remercier de visiter leur pays. Les enfants en uniforme scolaire courent à mes côtés et me lancent de joyeux « *Hello, tourist!* ».

C'est aussi plus facile que jamais de trouver un endroit où camper. Contrairement aux hauts plateaux du Tadjikistan, les montagnes traversent ici le pays en grandes haies parallèles d'ouest en est. Entre ces hautes barrières, de belles vallées se découvrent et les fermiers non seulement m'invitent à planter ma tente où je veux, mais me remercient même lorsque je choisis leur terrain.

Peut-être en raison de la grande tradition nomade du peuple kirghize, tout le monde semble trouver absolument normal qu'un cycliste s'installe dans un champ. Les bergers qui déambulent le matin autour de moi avec leurs troupeaux de vaches et de moutons m'envoient paisiblement la main en souriant.

Mais de tous les animaux, c'est le cheval qui est le plus présent. Sur la route, monté par des cavaliers ou libre dans les champs, l'animal semble autant au centre de la vie des gens que le hockey au Canada.

*

Par contre, tout n'est pas que fleurs et arcs-en-ciel dans les montagnes kirghizes. Après sept mois sur la route, je fais bientôt face à mes premières réelles menaces...

Sur un étroit sentier, l'asphalte est disparu depuis un bon moment lorsqu'un homme m'arrête en se plantant devant moi, les bras écartés. Nous sommes à la sortie d'un minuscule village, le dernier avant un grand col montagneux. Je mets pied à terre. Je n'ai aucune raison de croire que le montagnard est différent des nombreuses personnes avec lesquelles je discute chaque jour.

L'homme d'une quarantaine d'années ne me fait toutefois pas la conversation et insiste pour que je le suive chez lui.

Je refuse tout d'abord son invitation à prendre un café. Je sais avoir un long chemin à parcourir et celui qui me presse n'est pas des plus courtois. En fait, après seulement quelques secondes, il agrippe fortement mon vélo puis le tire vers sa maison. Je retiens ma monture et lui dis de se calmer. Il décide plutôt d'empoigner rudement mon épaule. Je me défends physiquement et verbalement et il finit par lâcher prise. Mais ses deux mains étant maintenant libres, il monte ensuite la violence d'un cran en faisant mine de me frapper au visage.

Malgré une malheureuse expérience au Kirghizistan, j'ai aussi pu constater que le pays est plein de gens comme Ali, 83 ans, tout souriant avec son kalpak, le bonnet traditionnel kirghize.

Je réalise soudainement que je suis seul dans les montagnes, à une cinquantaine de kilomètres de la grand-route la plus proche. Je n'ai accès à aucun réseau cellulaire et personne ne sait où je me trouve.

J'analyse la situation. L'homme n'est pas très grand ni très costaud, et il me vient à l'esprit que j'aurais des chances de m'en sortir s'il y avait combat. Mais je vois aussi dans son regard qu'il ne semble pas avoir toute sa tête. Je ne désire pas savoir ce dont il serait capable, et je renonce à le confronter davantage. J'accepte de le suivre dans sa maison.

Malgré son insistance, je réussis à laisser mon vélo à la grille d'entrée, prêt à partir rapidement. Juste au cas.

Nous entrons dans son petit logis. La première pièce est le salon, qui fait aussi office de cuisine. Le Kirghize me pointe le divan et fait signe de m'y asseoir. Je reste debout. Il revient alors sur ses pas, me pointe à nouveau le divan et me somme de m'asseoir. Je m'assois.

Puis, un œil sur moi, il prépare un café en poudre en faisant bouillir l'eau sur un poêle à gaz. Il m'apporte la tasse de café accompagnée d'un bol de sucre. « Pas de sucre », lui dis-je. « Tu vas prendre du sucre », m'indique-t-il en russe. Je prends du sucre.

L'homme s'assoit ensuite tout à côté de moi sur le divan. Il sort une cuillère de sa poche. Toute petite, elle a une miniature pierre rouge incrustée dans son manche.

Réelle pierre précieuse ou morceau de plastique, je n'en sais rien. Toujours est-il qu'il commence à m'expliquer que cette cuillère « indienne » vaut très cher. Que si je m'avise de la lui voler, il n'hésitera pas à me tirer dessus. Il enfonce alors son index à plusieurs reprises dans mon ventre et sur ma poitrine, pour indiquer les divers endroits où il prévoit que les balles pénétreront. Chaque fois qu'il appuie son doigt, il répète, comme autant de coups de feu : « Ici, ici, ici... »

Je cherche la trace d'un sourire sur son visage. Aucune.

Je commence alors à jeter des coups d'œil évidents vers la porte. Il s'en aperçoit et m'ordonne de rester assis.

Je tiens toujours dans ma main la tasse de café, que je n'ai pas bu. Mon « hôte » se relève et me demande maintenant si je veux de la vodka. Je réponds non, bien entendu. Après quoi il commence à m'en verser quand même...

Je profite de ce moment où il a le dos tourné pour déposer doucement ma tasse et prendre mes jambes à mon cou jusqu'à mon vélo. Ma lourde bécane est déjà parée à partir, comme je l'avais laissée. Je fais quelques pas vers la route, enfourche mon cadre et sprinte hors du village dans un nuage de poussière. Je l'entends crier derrière moi, mais toute mon énergie est concentrée sur mes pédales et je n'ose pas me retourner. Malgré le poids du vélo, je force pour maintenir le plus longtemps possible ma vitesse sur le chemin cabossé.

Quelques kilomètres endiablés plus loin, je me retourne enfin, essoufflé, en sueur. Je suis seul. Je palpe ma poitrine par précaution. Elle est intacte…

*

D'une certaine façon, je suis triste pour cet homme. Et je me sens mal d'avoir eu à le quitter de cette manière. Je suis persuadé qu'il se sentait simplement seul et était incapable d'interagir autrement avec les gens. Encore moins avec un étranger à vélo. J'étais probablement le premier touriste qu'il voyait de sa vie.

Je ne saurai jamais si l'homme souffrait réellement de problèmes mentaux ou s'il était seulement malhabile. Mais je ne souhaitais pas courir de risque inutile et rester dans un environnement dans lequel j'étais mal à l'aise et où je sentais de la violence. Surtout que j'étais bien loin de tout secours possible.

Cela aura pris sept mois de voyage, à vivre sur la route, à dormir dans ma tente ou chez des inconnus et à accepter toutes sortes d'invitations, pour faire face à la première et unique mauvaise expérience. Heureusement, cela n'a changé en rien ma joie d'aller à la rencontre du bon monde qui vit sur cette planète.

Ces gentilles écolières kirghizes sont tirées à quatre épingles dans leurs jolis uniformes. On remarque même la coquetterie de l'épinglette Chanel qui s'agence parfaitement aux boutons métalliques.

L'IMPOSSIBLE RACCOURCI

KIRGHIZISTAN

La route est longue et sinueuse entre les villes d'Och au sud et celle de Bichkek au nord du pays.

Je découvre cependant un sentier à peine visible sur la carte qui m'épargnerait plus d'une centaine de kilomètres sur la voie passante. La neige des cimes m'attire comme un aimant et je décide de tenter ma chance. Au lieu de la contourner par la vallée, j'aborde de front l'une des nombreuses et importantes chaînes de montagnes qui traversent le pays.

Je rencontre Roma au dernier marché avant de quitter la route principale. Âgé de 36 ans, le père de 4 enfants ne fait que répéter « maladès ! » lorsque je lui indique le chemin que je compte prendre. Il lève les bras au ciel, implorant Allah de me venir en aide sur la route. J'ai tout à coup un petit doute sur ma décision... Je repars du marché avec huit sacs de victuailles, dont deux remplis de Snickers.

En route vers la montagne, les paysans me répètent les uns après les autres que je me trompe de chemin. Que l'ascension est impossible et que je devrais revenir sur mes pas. Mais trop souvent, quand le cyclovoyageur se fait dire qu'une route est trop difficile, celle-ci n'en est que plus agréable. Les paysans ne se doutent pas que leurs avertissements ne font que me convaincre encore plus de continuer dans cette direction.

L'inclinaison augmente progressivement sur le chemin de roches. Un gentil cueilleur de mûres partage avec moi sa récolte. Je lui demande si la pente deviendra bientôt plus abrupte.

Je crois alors que le Kirghize me fait un *high five* en signe d'encouragement, mais je comprends qu'il est plutôt en train de mimer l'inclinaison de la montagne. Un mur.

Il ajoute : « Tu sais qu'il y a des loups dans la montagne ? »

De mieux en mieux...

Ça se complique même un peu plus. Une rivière a complètement inondé la route dans une vallée. Afin de garder mes chaussures au sec, je pousse mon vélo pieds nus dans le courant glacé. Le niveau monte jusqu'à la moitié de mes sacoches. Et ce n'est encore que le premier d'une dizaine de torrents...

J'arrive à la tombée de la nuit au pied du mur que le cueilleur m'avait prédit. Il avait raison, c'est tellement à pic qu'il est absolument impossible d'y pédaler. Au matin, j'enfile mes chaussures de randonnée, et je me mets à pousser, et à pousser encore.

Je croise deux hommes en train de réparer une cabane sur le flanc de la montagne. « Tu sais qu'il y a des loups dans la montagne ? » me préviennent-ils. Oui, je sais.

Je calcule que plusieurs sections présentent plus de 30 % d'inclinaison. Des ingénieurs ont perdu leur emploi pour moins que ça. Plus je monte, plus il y a de boue et ensuite de la neige. La végétation disparaît complètement jusqu'à ce que l'horizon devienne complètement minéral. Le sol mou et humide devient très glissant et je dois vérifier chaque endroit où je pose le pied. En fait, je glisse tellement vers l'arrière que je me sers des freins de ma monture entre chaque poussée pour me retenir.

L'altitude approche maintenant les 3000 m, et je n'ai pas eu le temps de m'acclimater depuis la vallée, 2000 m plus bas. J'ai le souffle coupé. Je compte 60 pas entre chaque pause.

J'accomplis tout ça en sachant fort bien que je suis loin d'être un athlète.

J'ai beau parcourir le monde par la force de mes mollets, mon endurance s'est bâtie au fil des kilomètres. Et pas naturellement. À l'école, j'étais loin d'être le premier choisi aux jeux de ballon. C'est en fait un peu étrange de penser que je me dépasse autant physiquement depuis des mois. Toute ma vie, j'ai été plus attiré par les atlas que par les gymnases, par la physique plus que par l'éducation physique.

J'écoute mon corps, je dose mon énergie, je respecte mes limites. Et je ne bats aucun record de vitesse, au contraire !

La réalité est que pédaler jour après jour – et marcher quand c'est nécessaire – s'avère bien plus un défi mental qu'athlétique.

En ce moment, j'ai la tête aussi légère que mon estomac. La fraîcheur de l'air et l'odeur de la neige fondue commencent même à créer des mirages de cabane à sucre devant mes yeux. Je fais travailler ma force mentale pour chasser ces pensées de jambon au sirop d'érable… et me console avec une Snickers.

Après 10 heures d'effort depuis le matin, je m'arrête encore à la noirceur. J'ai avancé d'un risible 9 km, mais qui présentait trois fois le dénivelé du mont Tremblant. Je campe sous le point de congélation, grelottant malgré toutes mes couches de vêtements.

Le lendemain, deux autres heures à pousser et à tirer mon vélo me sont nécessaires pour conquérir le sommet. Autant j'avais chaud en montant, autant le vent est glacial lorsque je m'arrête.

Je m'écrase de fatigue au sol, mais avec la fierté d'avoir accompli ce que tant de gens avaient qualifié d'impossible. Je souris.

Il me reste encore la longue descente neigeuse du versant nord avant de regagner la civilisation. Mais je ne suis pas inquiet.

De plus en plus, je sais que rien n'est impossible.

La montée me semble interminable dans la neige, les roches et la boue.
Dans cet air raréfié, je dois compter mes pas et me concentrer sur ma respiration.

LA BEAUTÉ DE LA VIE

KIRGHIZISTAN

Le paysage kirghize est magnifique en cette mi-octobre. Les sommets enneigés m'entourent au loin alors que je roule dans de grandes vallées où paissent encore quelques derniers troupeaux de chevaux. Les yourtes des nomades ont été démontées pour la saison et ne laissent que des cercles de pierres dans l'herbe brunissante des alpages.

En cet après-midi automnal, le fond de l'air reste froid malgré la douceur du soleil. Des images de ma jeunesse me reviennent en tête dans cette température parfaite pour aller aux pommes. Je peux presque sentir l'odeur du fromage d'Oka et de la boulangerie de son abbaye. Je revois ma mère, si heureuse lors de cette sortie familiale annuelle.

C'est beaucoup grâce à elle si j'ai décidé de réaliser mon périple. Et si ce voyage en est certainement un autour du globe, il en est aussi un à l'intérieur de moi-même.

*

J'ai l'impression de voler le long des serpentins qui dégringolent du dernier flanc de montagne. Je suis si bien sur un vélo! Soutenu par la gravité en guise de moteur, le vent me siffle aux oreilles de ralentir. Je le laisse s'époumoner. Mes pneus ont besoin de se dégourdir pour une fois! Je respire à fond, et je laisse battre mon cœur d'enfant d'un virage serré à l'autre.

J'aperçois bientôt Bichkek, la capitale et plus grande ville du pays. On la trouve installée là où la côte s'aplatit pour se transformer en plaine. Au-delà, je revois comme une vieille connaissance les steppes infinies du Kazakhstan qui s'élancent vers le nord. Mais cette fois, je n'ai aucune intention de les traverser.

En vérité, je ne sais trop où je m'en vais. J'avais planifié grossièrement ma route jusqu'ici. Je n'avais aucune idée si je réussirais même à me rendre si loin. L'Asie centrale avec tous ses pays dont le nom se termine par «stan» me paraissait si inaccessible que je n'avais comme premier objectif que de me rendre aux frontières de la Chine. Mais après presque 10 000 km parcourus dans 21 pays déjà, mon manque de préparation se bute à un obstacle.

Jusqu'à maintenant, je n'ai eu aucun problème à me procurer les visas nécessaires pour traverser toutes ces frontières. Cependant, si obtenir un visa chinois à partir de cette région du monde était déjà difficile, c'est maintenant rendu chose impossible. Les règles ont changé pendant que je roulais dans les montagnes et plus aucune ambassade chinoise en Asie centrale n'en délivre désormais. L'ambassade de Bichkek a même tout simplement été fermée en raison d'un récent attentat à la bombe.

Pressé par l'hiver qui arrive, par mon visa kirghize qui expire bientôt et par plusieurs frontières terrestres fermées, je prends la difficile décision de m'envoler vers ma prochaine destination.

Beaucoup d'autres cyclistes croisés en chemin m'ont parlé en bien de la Birmanie, aussi appelée Myanmar. Comme ce pays d'Asie du Sud-Est n'était pas prévu dans mon itinéraire, je ne sais pas trop à quoi m'attendre, mais la destination me semble assez intéressante pour y commencer l'hiver. Et puis, si, au début, je pensais partir une seule année, je ne me limite plus et j'ai renoncé depuis plusieurs mois à me fixer une date de retour. Je prends beaucoup de plaisir à cette aventure, et continuerai à rouler tant que celui-ci sera au rendez-vous.

Durant cet arrêt à Bichkek, je célèbre mon 31e anniversaire de naissance. Depuis le décès prématuré de ma mère, je suis habité par une constante urgence de vivre. Ce sentiment que le temps file dans un sablier et que, avant même que le sable ait fini de s'écouler, il faille réussir sa vie. Sans instructions sur la façon d'y arriver.

Cette journée-là, je reçois un message de mon cher frère de l'autre côté du monde. « Une année de plus est comme un nouveau tampon dans ton passeport de vie », m'écrit-il. Il a raison. Après tous les défis des derniers mois, j'ai appris à mieux faire face aux incertitudes. À les apprécier même. Peut-être est-ce là l'un des ingrédients du bonheur.

Je ne connais pas la suite de mon parcours. Pire, à vélo comme dans la vie, je ne suis même pas certain de savoir où je m'en vais exactement !

Ce n'est pas grave. C'est cette incertitude qui rend la vie si belle et si passionnante.

La fin de la saison estivale laisse quelques fantômes au sol : des yourtes qui ont été retirées des hauteurs kirghizes.

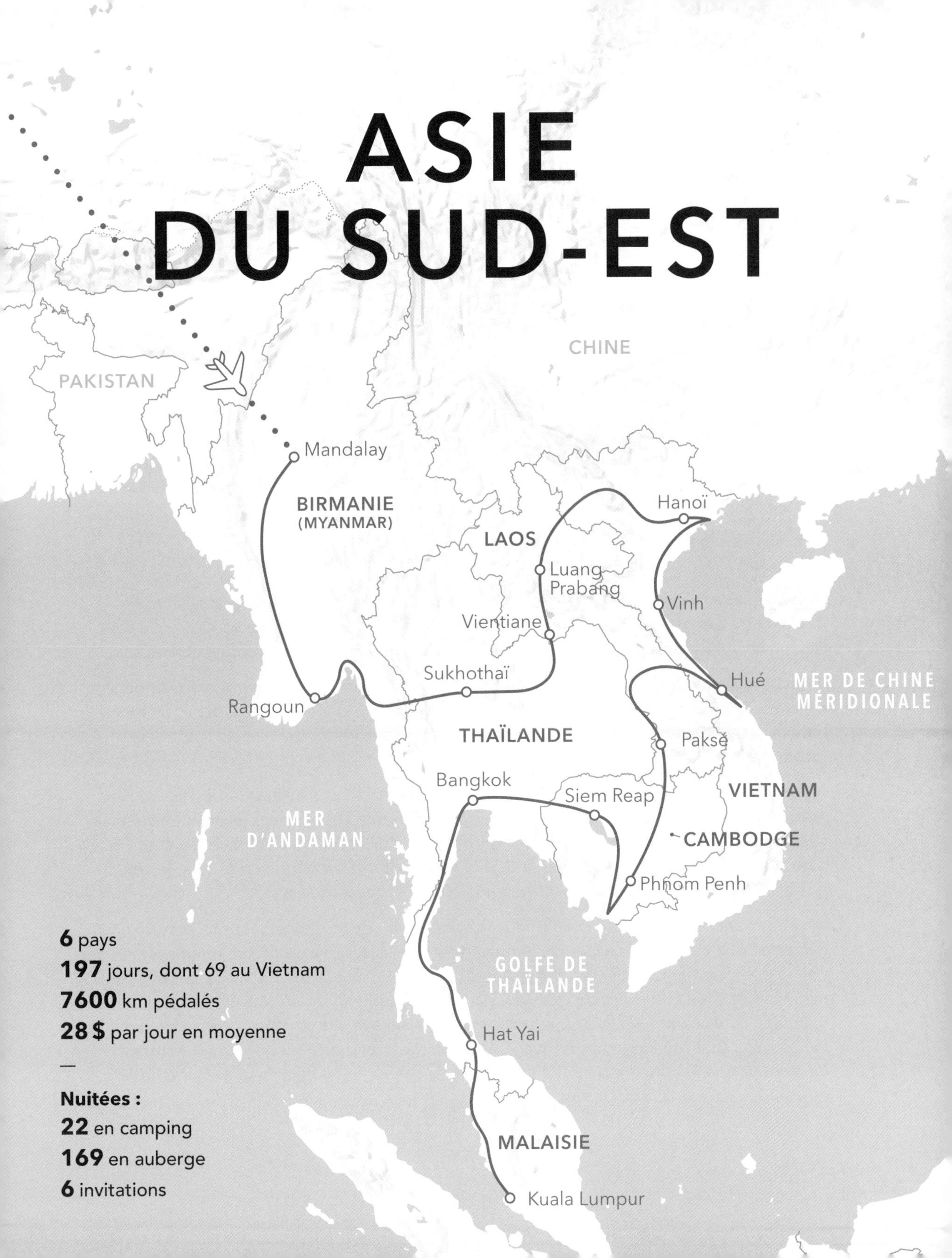
ASIE
DU SUD-EST
CHINE
PAKISTAN
Mandalay
BIRMANIE
(MYANMAR)
LAOS
Hanoï
Luang
Prabang
Vinh
Vientiane
Sukhothaï
Rangoun
Hué
MER DE CHINE
MÉRIDIONALE
THAÏLANDE
Paksé
Bangkok
Siem Reap
VIETNAM
MER
D'ANDAMAN
CAMBODGE
Phnom Penh
GOLFE DE
THAÏLANDE
Hat Yai
MALAISIE
Kuala Lumpur
6 pays
197 jours, dont 69 au Vietnam
7600 km pédalés
28 $ par jour en moyenne
—
Nuitées :
22 en camping
169 en auberge
6 invitations

BIENVENUE EN BIRMANIE !

BIRMANIE

Le choc est total lorsque la porte de l'avion s'ouvre. Je m'étais habitué à me déplacer à 15 km/h, où tout changement s'effectue progressivement. Là, en quelques heures, je viens d'être catapulté de l'hiver des steppes à l'humidité étouffante d'un sauna. Je débarque à Mandalay, deuxième plus grande ville de la Birmanie, pays situé à mi-chemin entre l'Inde et la Chine.

Mais le dépaysement est plus culturel que climatique. Dès mon arrivée en ville, je me retrouve en sandales sur une terre battue humide, entouré d'une marée humaine dans un marché de nuit. Fini les patates, je mange maintenant de la sauterelle géante ! Pas mauvais, mais pas super génial non plus : le goût rappelle celui d'une crevette presque vide, dont on aurait laissé la carapace.

Bienvenue en Birmanie !

*

Ici, à Mandalay, la signalisation est nettement insuffisante pour une ville de plus d'un million d'habitants. Les petites motos se déplacent comme des nuées d'oiseaux, alors que les clignotants et les panneaux d'arrêt sont remplacés par d'omniprésents et bruyants klaxons.

À l'auberge où je loge, plusieurs personnes qui arrivent à peine de l'aéroport sont déjà malades. Je me sens plutôt fier quand je pense à ma bonne santé depuis le début de mon périple. « Les bactéries ont peur de moi ! » me dis-je, en remplissant mes bouteilles au robinet de la salle de bain.

Pas plus tard que le lendemain à l'aube, je me réveille faible et nauséeux, et je me trouve assez idiot de m'être cru invincible. J'arrive tout de même à me traîner jusqu'à la rivière, littéralement deux minutes avant que mon bateau pour Bagan, un peu plus au sud, ne parte sur le fleuve Irrawaddy. Je passe tout le trajet appuyé sur la rambarde avec le cœur au bord des lèvres… Visiblement, les bactéries sont plus courageuses ici.

Un peu avant le coucher du soleil, une planche de bois est déposée sur le bateau en guise de débarcadère vers la plage. Je rassemble mes sacs et mon vélo sur la terre ferme, pour rapidement constater une crevaison. Debout, une roue dans les mains, à côté de ma monture virée à l'envers sur le sable, j'attire très rapidement un attroupement d'une quinzaine de curieux. Ceux-ci se mettent à se chamailler sur la quantité d'air à mettre dans mes pneus. J'ai beau leur montrer que la pression recommandée est inscrite sur le rebord du pneu et que ma pompe possède une jauge, ils demeurent confiants en leur méthode : donner des chiquenaudes sur mes roues.

Je sue à grosses gouttes, autant en raison de la chaleur que de ma faiblesse. Mon pneu encore dans les mains, je prends de grandes respirations.

Bienvenue en Birmanie !

*

Pendant ce temps, mon ami Freddy est coincé de l'autre côté du pays.

Oui, le Freddy du trio ! Après la traversée du Tadjikistan, j'avais laissé mon ami allemand et le Français Pierre poursuivre leur route en Chine. Pendant que je m'échinais au Kirghizistan, Pierre a terminé son voyage, a vendu au rabais son immense vélo à un Chinois et est retourné en France. Freddy, de son côté, a traversé une bonne partie de l'empire du Milieu en train, pour ensuite se retrouver à pédaler le nord du Laos et de la Thaïlande. Toujours en contact, nous avons sauté sur l'occasion de nous donner rendez-vous en Birmanie.

Mais à peine une cinquantaine de kilomètres après être entré au pays, mon compagnon cycliste se fait arrêter.

Il n'existe pas encore ici une grande tradition de tourisme. De 1962 à 2011, la Birmanie a été sous la domination de diverses juntes militaires. Autant dire que le pays vient tout juste d'ouvrir ses portes. Et encore, pas tout le territoire. La route que Freddy comptait parcourir vers l'ouest traverse une région complètement fermée aux étrangers.

Mon ami ne peut revenir sur ses pas sans annuler en même temps son visa birman, et ne peut pas continuer non plus. C'est en avion de brousse qu'il passera par-dessus la région sous tension.

L'internet est rare, mais je réussis à lui envoyer à temps mon itinéraire, au moment de son dernier branchement. Mon plan est d'emprunter la route 2 vers le sud. Je dis au grand blond que, considérant sa forme physique, il devrait pouvoir me rattraper.

*

Je continue à transpirer comme jamais dans ma vie. L'air est tellement gorgé d'eau que je passe mes journées à alterner deux chandails de vélo qui s'imbibent de sueur... Et pendant que je m'essuie le visage régulièrement, la cacophonie demeure constante. Motocyclistes, camionneurs et automobilistes klaxonnent sans arrêt. Autant en ville que sur la plus petite route de campagne. Les véhicules qui me dépassent m'envoient généralement trois avertissements : un à 50 m, un à 10 m, et le dernier à 1 m de ma tête !

Je viens d'arriver dans ce pays tropical et je suis déjà exténué et à bout de patience. Malgré mes efforts physiques et psychologiques, le changement brutal est difficile à encaisser.

Les deux chambres à air dans mes pneus ont déjà été réparées dans les montagnes du Pamir. Mais, avec cette chaleur, la colle qui maintient mes rustines en place fond. Debout au milieu d'un hameau, je répare une énième fois mon tube, entouré d'une foule de badauds et d'encore plus de mouches.

À Bagan, en Birmanie, je me suis promené du matin
au soir d'un temple à l'autre pendant deux jours et demi,
cherchant la plus belle vue, la lumière la plus exquise,
l'ambiance la plus mystérieuse.

Le mont Popa, à une cinquantaine de kilomètres à l'est de Bagan, trône au milieu de la plaine environnante. L'ancien volcan s'élève à 1518 m d'altitude et offre une vue en plongée sur le Taung Kalat, cheminée volcanique sur laquelle un impressionnant monastère bouddhiste a été construit à 737 m.

Les véhicules qui passent dans le village ne ralentissent pas le moins du monde. Un poulet se fait faucher à quelques mètres de nous au milieu de la route. L'un des curieux qui se tenaient à côté de moi marche lentement vers le poulet agonisant, le ramasse et lui tord le cou. Ce sera le souper.

Je regarde le poulet se faire euthanasier en continuant de gonfler mon pneu. J'entends alors soudainement derrière moi une voix familière se distinguer du bruit ambiant. « *Hey, Jo ! What's up, boy ?* »

C'est Freddy !

Mon Allemand avait enfin réussi à joindre la route 2. De là, il s'est mis à montrer aux gens une photo de moi, jusqu'à me rattraper.

« Avez-vous vu cet homme ?
– Oui, il y a deux jours », répond quelqu'un.
« Avez-vous vu cet homme ?
– Oui, ce matin », affirme un autre.

Nous nous sautons dans les bras devant le regard médusé des villageois. Nous en oublions la chaleur, les problèmes d'équipement, la maladie et les routes bloquées. Subitement, tout nous paraît déjà plus facile à deux.

Avec le sourire, je regarde mon Allemand préféré en face et l'accueille officiellement: « Bienvenue en Birmanie ! »

TROIS MOINES ET UN DICTATEUR

BIRMANIE

Freddy et moi n'avons jamais vu autant de sourires.

Les Birmans ont le regard franc, heureux, brillant. Mais parfois un peu gêné, comme si nous étions des personnalités publiques. Malgré une augmentation du tourisme ces dernières années, beaucoup de régions sont encore très isolées et la vue d'un étranger est un événement rare.

Le fait qu'il nous soit interdit d'être invités chez l'habitant ou de camper où que ce soit ne favorise pas les échanges, que nous aimerions plus nombreux. La seule option légalement possible pour les touristes est de dormir dans des hôtels accrédités – plus chers, souvent miteux et très éloignés les uns des autres dans les régions moins connues.

Freddy a toujours aussi bon caractère et rend bien aux Birmans leurs sourires. Toujours partant, optimiste et allant au-devant des autres, voilà que je retrouve un extraordinaire compagnon de voyage. Il n'est donc pas difficile à convaincre lorsque je lui dis que nous devrions essayer de demander l'hospitalité dans un monastère bouddhiste.

Nous n'avons aucune difficulté à en trouver un, où nous allons frapper. La porte s'ouvre rapidement sur trois moines. Le cadet doit avoir la jeune trentaine. L'air sérieux et attentif, il est tout en nerfs comme un fermier. À ses côtés, l'aîné est court et courbé sur sa canne. Comme s'il avait compris que la vie n'était pas si sérieuse, il sourit constamment. Ce faisant, il dévoile quelques dents brunes, celles qui lui restent, ajoutant quelques rides à son visage déjà vieilli. Comme un point médian sur la ligne de leurs vies, le responsable du monastère se situe entre les deux autres pour ce qui est de l'âge, de la personnalité et du physique.

Tous trois ont les cheveux rasés et sont vêtus de la tunique traditionnelle bouddhiste ocre.

Les moines occupent l'étage d'un grand édifice en bois aux allures de grange. Freddy et moi nous faisons offrir le rez-de-chaussée. Aussitôt franchie l'énorme porte d'entrée, l'air suffocant m'indique que la nuit sera longue. On s'y sent comme dans un sauna qui serait rempli de maringouins.

J'installe la moustiquaire de ma tente le plus rapidement possible. Je m'en sors avec une trentaine de piqûres.

L'un des moines ferme ensuite toutes les portes et les fenêtres, « pour notre sécurité », et monte à l'étage réciter des incantations dans un haut-parleur assez puissant pour le Vatican.

Suant à grosses gouttes en position d'étoile dans ma tente, j'entends alors cogner au portail.

Généralement, les hommes birmans chiquent du *paan* à longueur de journée. Cette substance produit un effet euphorisant mais détruit sauvagement la dentition.

La boue sur le visage des femmes est appelée *thanaka*. Elle protège naturellement contre le soleil et l'acné, tout en servant de crème hydratante.

Pour réussir cette scène dans un restaurant de village, j'ai pris une série de clichés en pointant mon appareil vers ma droite sans que je puisse consulter l'écran. Afin de ne pas attirer l'attention, je faisais en même temps semblant de montrer mes photos à Freddy, qui se prêtait au jeu.

Je sors de ma tente pour aller déverrouiller la porte d'entrée. En ouvrant, je trouve devant moi un sosie de Kim Jong-un, le dictateur nord-coréen. Il se présente en quelques mots comme un policier de l'immigration, me tasse en quittant la pénombre du dehors, puis entre accompagné de six acolytes.

Freddy et moi sommes convoqués à un interrogatoire dans le dortoir des moines, dont la prière vient d'être interrompue assez rudement. Kim – appelons-le ainsi –, du haut de sa petite taille, est le seul debout. Le reste de son groupe, les moines et nous sommes tous assis en cercle les jambes croisées. Répondant à ses ordres, nous expliquons notre itinéraire. Pendant ce temps, chaque page de nos passeports est photographiée deux fois, par deux assistants. Tout le contenu de nos documents officiels est ensuite copié à la main, avant d'être lentement traduit en birman.

Le temps passe. Notre interrogatoire est parfois interrompu par des appels téléphoniques effectués par Kim. Au cours de l'un d'eux, je ne peux m'empêcher de sourire et d'être moins inquiet. Je viens de remarquer que l'étui de son téléphone cellulaire est aux couleurs de *Lilo et Stitch*, le film d'animation de Disney.

Le prêtre bouddhiste me regarde au même moment, lui aussi avec un petit sourire. Je constate ensuite que plusieurs des assistants de Kim, qui sont des habitants du village voisin, nous observent aussi du coin de l'œil. L'événement est une expérience hors du commun pour eux aussi.

Kim nous ramène pourtant au dilemme principal : « Vous n'avez pas le droit d'être ici. »

Freddy, épuisé par la route et la chaleur, stressé par l'attente, brise alors son silence et saute une coche. Il s'écrie, avec son fort accent allemand : « Y'a pas assez d'hôtels pour touristes ! On est en vélo ! Vous voulez qu'on fasse quoi ? »

J'ajoute, plus doucement et en exagérant un peu, que nous avons été surpris par la noirceur. Que nous sommes toujours en hôtel normalement, et que, devant notre insistance, ces gentils moines ont accepté de nous accueillir. « Décidément, dis-je en laissant aller mon regard sur tous, tout le monde est gentil ici ! »

Kim nous permet enfin de rester. Et nous retournons à notre sauna infesté de maringouins.

Le lendemain matin, nous nous excusons du dérangement auprès de nos hôtes et les remercions chaudement. Pas le moindrement contrariés, s'excusant même, ils partagent leur déjeuner et prennent des photos avec nous.

Puis ils nous reconduisent jusqu'à l'entrée du monastère et nous envoient la main lorsque nous repartons. Le tout avec le sourire, évidemment.

EUX ET NOUS

BIRMANIE

Arrivés à Rangoun, la capitale, Freddy et moi nous séparons pour quelques jours. Il logera en auberge avec un autre ami cycliste allant en sens inverse tandis que je serai hébergé chez une amie d'une amie, une Canadienne qui travaille ici.

Cette dernière m'amène courir au Hash hebdomadaire. Jeu britannique remontant aux années 1930, le Hash se veut une version moderne de la chasse à courre. Sauf qu'au lieu d'être sur des chevaux à poursuivre un renard, nous courons à pied en suivant la trace des confettis laissés au sol par les organisateurs. Ceux-ci prévoient aussi des culs-de-sac et de fausses pistes afin que les coureurs les plus rapides se perdent et terminent en même temps que les plus contemplatifs.

La tradition du Hash a pris de l'importance avec le temps. Au départ, à peine quelques officiers postés en Malaisie participaient à ce type de course. De nos jours, près de 2000 villes dans le monde en organisent. Mais je suis un peu mal à l'aise avec l'événement. Pas en raison des chansons grivoises et de l'ambiance qui ne sont pas sans rappeler les initiations à l'université, mais plutôt à cause des relents de l'époque coloniale qui entourent le rituel.

La course se déroule à l'extérieur de la ville. Nous y arrivons dans un VUS climatisé, conduit par un chauffeur privé local, tout comme la majorité de la cinquantaine de participants. Il semble que les étrangers installés à Rangoun se déplacent toujours « comme ça ici ».

Le rôle des Birmans se limite à servir des rafraîchissements aux coureurs, pour la plupart des Blancs habillés en Under Armour et Lululemon.

Nous. Eux.

Cette impression coloniale m'est confirmée par Mariko, une jeune Américaine d'origine asiatique qui fait ici un stage auprès d'une organisation non gouvernementale (ONG). Elle me dit que peu de gens lui parlent, car ils tiennent pour acquis, en raison de ses traits, qu'elle est là pour déboucher la bière plutôt que pour courir. « Ils sont toujours surpris quand je leur réponds en anglais avec un accent américain », souligne-t-elle.

Notre sentier de confettis a été dispersé à travers les champs et les villages, comme si on n'y trouvait pas déjà assez de déchets. Nous suivons cette piste, en passant littéralement dans la cour des gens. Nous trottons même entre la porte d'entrée d'une bicoque en paille et un enfant d'une douzaine d'années, surpris nu pendant qu'il se lavait à l'extérieur.

Je me dis qu'il doit certainement y avoir une meilleure façon d'aller à la rencontre des habitants du pays qui nous accueille.

Mariko est également percussionniste. Le lendemain soir, je me retrouve avec elle et d'autres musiciens dans un grand festival célébrant la fin de la mousson.

Cette fois, je suis le seul Blanc dans une marée de Birmans.

Afin de célébrer ce passage, des centaines de bougies ont été allumées près du temple. Des femmes passeront la nuit dans une frénétique compétition de tissage de robes du Bouddha, et des musiciens connus dans toute la Birmanie se relaieront sur scène.

Je ne reconnais aucun de la dizaine d'instruments que j'admire de loin! Curieux, je prends quelques photos au sein de la foule lorsque les organisateurs me voient et m'invitent à monter sur scène. Ils m'indiquent que je peux y rester aussi longtemps que je le désire afin de réaliser les meilleurs clichés.

Ici, pas de nous ni d'eux. Juste un nous. Très inclusif.

Devant comme derrière la scène, des inconnus m'offrent de l'eau, me posent des questions. Parmi ces gens dont je ne comprends pas la langue, mais qui me font découvrir leur culture et leurs traditions, je me sens soudainement beaucoup plus à l'aise que la veille.

Nous avons souvent peur de ce que nous ne connaissons pas. De ce que nous ne voulons pas vraiment connaître, au fond. « Ces pays-là » et « ces gens-là », nous les jugeons sans les connaître. Dans ces généralités, nous englobons la majeure partie du monde, sans même pouvoir situer ceux-ci sur la carte ou nommer un élément de leurs cultures.

Même – surtout – quand ces « gens-là » sont nos voisins, chez nous, dans notre pays.

Je repars de Rangoun inspiré par tous ces Birmans rencontrés. Ceux qui ne voient pas de « eux », où il n'y a qu'un « nous ».

Le *pat waing* est un instrument traditionnel birman formé de 21 tambours disposés en cercle autour du musicien. Le joueur de *pat waing* tient généralement le rôle de chef d'orchestre, qu'il dirige de ses mélodies rythmiques.

ON DIRAIT UN AUTRE PAYS !

BIRMANIE / THAÏLANDE

« J'ai trouvé un bar à *milkshake* ! »

C'est un Freddy comblé qui revient à l'hôtel pourri où nous partageons une chambre. Il était parti se promener dans la petite ville de Kawkareik où nous nous sommes arrêtés, 50 km avant la frontière thaïlandaise.

Pendant ce temps, je m'affairais à la réception, à essayer de retrouver mon chargeur d'ordinateur que j'avais oublié dans un autre hôtel deux jours plus tôt, à plus de 150 km d'ici. Cinq ou six hommes, employés et clients, m'ont aidé, en combinant un anglais sommaire à des gestes, à trouver le numéro de l'hôtel à partir de ma description physique des lieux. Et à l'autre bout du fil, un habitant de la ville où j'ai oublié mon chargeur s'est porté volontaire pour faire l'aller-retour le lendemain et me le rapporter. Je n'en reviens tout simplement pas de leur gentillesse et de ma chance.

Freddy et moi sommes effectivement assez soulagés de nous en sortir ainsi puisque le lendemain est aussi la dernière journée où nos visas birmans seront valides. Nous devons absolument passer en Thaïlande avant que ceux-ci ne soient expirés.

Le problème du chargeur réglé, j'accompagne l'Allemand au bar à *milkshake* qu'il est impatient de me faire découvrir.

L'établissement familial ressemble à un pauvre mélange entre un casse-croûte de campagne et un décor kitsch du film *Grease*. Assis à l'une des quelques petites tables, nous nous demandons ce qu'ils font avec le lait durant la journée. Parce que, petit hic, la ville n'a de l'électricité que de 18 h à 23 h.

Comme c'est le cas pour la majeure partie du pays, la présente région se trouve à l'extérieur du réseau national d'électricité. Au cours des dernières années, le gouvernement a donc subventionné l'installation de panneaux solaires dans les lieux publics. Quelques rares résidences ont aussi profité de tarifs réduits, mais c'est encore loin de suffire à la demande. La majorité des gens doivent ainsi sortir en soirée pour profiter des lieux où un peu d'électricité a été emmagasinée durant le jour. C'est le moment où les téléphones et autres petits équipements électroniques sont rechargés.

Nous ne trouvons pas sur place la réponse à l'entreposage du lait. Mais nos doutes sur sa qualité sont confirmés lorsque je suis réveillé au milieu de la nuit par un Freddy affreusement malade dans notre salle de bain. Je me congratule de ma bonne fortune un peu trop vite. Deux heures plus tard, des nausées m'envahissent à mon tour…

*

Mon sauveur de chargeur arrive vers la fin de l'avant-midi. Faibles et avec nos estomacs encore tourmentés, il faut pourtant se mettre en selle et commencer l'ascension menant à la frontière.

Mais qu'est-ce que nous sommes lents ! Après quelques heures et seulement une quinzaine de kilomètres, nous sommes épuisés. Nous nous arrêtons devant une cabane en bois en bordure de la route. La construction, presque entièrement ouverte d'un côté aux éléments, semble abriter en même temps un minuscule magasin et une maison. Le maître des lieux, dans la jeune vingtaine, vend quelques boissons gazeuses tirées d'une glacière. Une canette de Seven Up devant moi, je m'endors la tête sur la table pendant que Freddy s'allonge directement sur le sol.

Je me réveille à demi pour demander la permission à notre hôte d'utiliser son hamac. Ce n'est que quelques heures plus tard que nous nous réveillons complètement. C'est déjà presque la fin de l'après-midi, trop tard pour espérer se rendre à la frontière à temps. Nous décidons d'arrêter une camionnette qui nous prend avec nos vélos afin de terminer la montée et nous amener à la frontière de la Thaïlande.

Une fois la frontière traversée, je reprends un peu mes sens devant l'énorme contraste. On y trouve de grandes épiceries, des magasins à grande surface et même des concessionnaires automobiles ! Rien d'extraordinaire pour des yeux d'Occidentaux, mais la dernière fois que j'ai été témoin d'une telle outrancière modernité remonte à l'Europe, il y a plusieurs mois. Le décor rappelle même le sud des États-Unis. En quelques centaines de mètres, j'ai l'impression d'avoir fait un bond phénoménal dans le temps. Les lumières commencent à s'allumer partout et les néons invitent les gens à venir acheter des meubles et de grosses voitures. Décidément, il n'y a pas de problème d'électricité ici.

Ahuri et encore chancelant, je regarde Freddy, et je ne peux m'empêcher de lui lâcher la phrase qui tourne bêtement en boucle dans ma tête : « On dirait un autre pays ! »

Sukhotaï, ancienne capitale du royaume du Siam construite au 13e siècle, est devenue un site touristique prisé, d'autant plus qu'il fait partie du patrimoine mondial de l'UNESCO.

DES SOURIS, DES HOMMES… ET DES FEMMES

LAOS

Freddy et moi nous séparons après notre entrée en Thaïlande. Cette fois pour de bon. Mon pétillant partenaire de voyage prend la direction de l'Allemagne via Bangkok alors que je traverserai la Thaïlande vers l'est pour atteindre le Laos.

Au nord de Vientiane, la capitale laotienne, le relief s'élève et les villages s'accrochent aux montagnes. Les falaises sont souvent si escarpées que plusieurs habitations de fortune s'élancent dans le vide, soutenues seulement par quelques poteaux plantés dans l'escarpement.

Dans ces paysages magnifiques et sauvages, je vois avec tristesse la pauvreté presque partout où mon regard se pose. Les maisons n'ont souvent pas de plancher, les gens vivent directement sur la terre battue, et les murs simplement tressés en écorce de bambou laissent filtrer le jour et les éléments.

Dans chaque village, il n'est pas rare que j'aperçoive des gens de tous âges complètement nus. Les ruisseaux qui descendent directement des montagnes forment parfois des fontaines publiques. Mais c'est le plus souvent à leur état naturel qu'ils sont utilisés comme douches, lavabos et pour la lessive. Les enfants et les gens plus âgés sont ceux qui se cachent le moins, préférant se montrer moins pudiques plutôt que de se laver habillés. Les bambins, quant à eux, courent et jouent généralement vêtus d'un simple chandail, sans pantalon ou sous-vêtement.

Malgré l'abondance d'enfants partout autour de la route, il est très rare d'en entendre un pleurer. Comme s'ils vieillissaient plus rapidement dans ces montagnes et n'avaient pas cette liberté. Le travail manuel fait ici partie de la vie quotidienne. La majorité des gamins commencent à travailler dès qu'ils peuvent marcher. Ils vont chercher de l'eau, taillent des branches, s'occupent de quelques animaux domestiques. Entre toutes ces tâches, seule une toute petite place est laissée à l'enfance.

Et pourtant, sans doute parce que les distractions extérieures ne sont pas légion, les enfants profitent de chaque occasion pour jouer. Ils me saluent, me tapent dans la main et m'aident à grimper en poussant mon vélo. Un bout de chou à peine âgé de cinq ans regarde sa main, stupéfait d'avoir pu serrer la mienne. Un autre petit bonhomme d'environ six ans positionne son frère de deux ans son cadet et lui explique comment me faire un *high five*. Mon cœur fond à les voir.

Je donne des biscuits à une fillette, des bananes à un groupe de garçons, des autocollants du Canada un peu partout. J'aimerais pouvoir tous les aider et les rendre heureux.

Le dur labeur fait naturellement partie de la vie des adultes. Les toits de chaume sont constamment refaits à l'aide de grandes herbes – l'extrémité poilue servant quant à elle à fabriquer des balais. Le bambou et d'autres types d'écorces sont tressés pour construire des murs de bâtiments, des cages, des paniers. Même les étoffes utilisées pour fabriquer les vêtements sont confectionnées sur des métiers à tisser. D'innombrables fils s'y entrelacent dans un mouvement de va-et-vient continuel pour former de grandes pièces de tissu.

La préparation des repas se fait bien souvent à l'extérieur. Je constate ainsi assez rapidement que le rat sauvage est un plat très répandu dans ces montagnes du nord du Laos. Beaucoup les attrapent eux-mêmes à l'aide de pièges, puis les font rôtir pour en détacher la fourrure. On peut ensuite les congeler pour plus tard – si on a l'électricité – ou encore les faire griller ou bouillir.

La saveur, rappelant celle du lapin, est différente pour chaque type de rat. On dit que les habitants seraient même en mesure d'identifier cinq différentes espèces de rongeurs simplement au goût!

*

Traverser cette région du monde, c'est non seulement visiter un pays, mais aussi une époque. Celle où notre lien avec la nourriture et les objets qui nous entourent était beaucoup plus intime. Celle où l'on appréciait peut-être davantage ses possessions, car on les avait fabriquées de ses propres mains.

La vie est difficile ici, cela ne fait aucun doute. Mais j'ai senti la satisfaction et la fierté de tout construire soi-même, des vêtements aux maisons. De notre côté du monde, où la viande au supermarché n'a plus de lien réel avec l'animal lui-même et où même coudre un bord de pantalon est une aptitude qui se perd, nous aurions, à mon avis, beaucoup à apprendre de cette polyvalence locale.

J'ignore si les gens ici sont heureux, car ils ne connaissent pas autre chose. Mais en voyant tous ces enfants aux yeux pétillants, cette dame tissant son étoffe avec le sourire ou ce vieil homme expliquer à ses petits-enfants comment fabriquer un panier en bambou, je me dis que le vrai confort se trouve peut-être quelque part entre nos deux mondes.

Un homme grille d'abord le poil du rat afin de le détacher plus aisément avec un couteau.

Le rat n'est pas l'animal le plus incongru à servir en guise de repas dans le nord du Laos. Insectes et larves peuvent aussi figurer au menu.

Qu'il s'agisse de fabriquer des paniers tressés ou de tisser des vêtements, le travail manuel est très répandu dans ce pays.

LA PETITE ET LA GRANDE HISTOIRE

LAOS

Le Laos était un pays officiellement neutre à l'époque de la guerre du Vietnam. Mais, de neutre, il n'avait que l'adjectif. Les combats débordaient abondamment de son côté de la frontière. Reflétant la géopolitique du pays voisin, le nord devenait communiste tandis que le sud s'alliait en secret aux Américains.

Ainsi, afin de bloquer l'accès du sud aux combattants communistes vietnamiens, les États-Unis ont effectué en moyenne, de 1964 à 1973, un bombardement toutes les huit minutes du côté laotien de la frontière. Toutes les huit minutes pendant presque une décennie!

On estime que de 10% à 30% de quelque 80 millions de bombes n'ont pas explosé et sont demeurées actives sur près d'un tiers du territoire. Au fil des années, celles-ci ont fait des dizaines de milliers de victimes. Elles ont tué, amputé, brûlé la peau et détruit d'innombrables vies. Au fil de ma route au Laos, je verrai d'ailleurs deux hommes dont la moitié du visage avait été brûlé, les privant même d'un œil.

Mais le plus triste est que 40% de ces victimes sont des enfants. Parce qu'ils jouent avec les bombes trouvées dans la nature ou sont à la recherche de métal qu'ils pourraient revendre. Sachant cela, je ne m'aventure jamais très loin de la route pour planter ma tente.

Je m'arrête ainsi dans une auberge à environ 200 km au nord de Vientiane. Le propriétaire, Thong, âgé de 69 ans, est un homme court et nerveux, et ses cheveux, encore abondants et bien peignés, sont plus sel que poivre. Son sourire permanent montre des dents blanches, fait briller ses yeux entourés de ridules et éclaircit son front.

Le patriarche laotien m'invite à sa table en compagnie de sa famille, et je découvre que de l'autre côté du globe, sa vie fut étrangement liée aux États-Unis.

En 1975, après la victoire communiste au Vietnam, les Américains sont partis et les sudistes sont demeurés seuls des deux côtés de la frontière. Thong me confie presque silencieusement son ancienne vie dans l'armée du royaume du Laos, les combattants du Sud.

«De 1968 à 1970, j'ai été formé en Amérique», me dit-il. Je lui demande des précisions: «Pour revenir combattre les communistes?»

«Je ne peux pas en parler.» Mais ses yeux trahissent sa pensée. À l'époque, il n'y a que deux camps, le bien et le mal, qui varient en fonction du côté où l'on se trouve.

À Vang Vieng, au Laos, je me permets de jouer au touriste
le temps d'une balade en montgolfière à l'aube.

Situées en hauteur, ces maisons protègent davantage leurs habitants que celles situées plus pauvrement à même le sol. L'espace sous l'aire d'habitation est alors utilisé pour les animaux ou le rangement.

Partout, les enfants laotiens montrent une immense joie de vivre.

Thong a appris à être prudent. « Je rêvais de devenir un militaire haut gradé, mais... il y a alors eu un changement de système », me confie-t-il, usant d'un euphémisme. Son sourire a disparu. « Il faut faire attention de ne rien dire contre le gouvernement. »

« Après la guerre, tous mes amis sont partis aux États-Unis. On m'a aussi offert d'y aller, mais j'ai dû rester pour m'occuper de mes parents. »

Son rêve américain ne l'a cependant jamais quitté. Il me raconte que sa fille aînée est partie à seulement 15 ans et y habite depuis 1990. « Un touriste américain est venu ici et l'a demandée en mariage. On était tous contents qu'elle puisse émigrer vers le pays où tout est possible. » La différence d'âge, la jeunesse de sa fille, tout cela n'était pas important en comparaison avec la possibilité d'une vie plus facile.

En 2007, après de longues démarches, il réussit à visiter sa fille et à remettre les pieds dans « son ancien pays », comme il appelle la terre de l'oncle Sam. De visa en visa, il y est finalement demeuré cinq ans, acceptant avec plaisir n'importe quel emploi. Puis, devant l'impossibilité de faire venir tout son monde de l'autre côté de l'océan, il est retourné au Laos, le cœur en deux morceaux. Il laissa une fille et des petits-enfants d'un côté, pour retrouver son épouse et le reste de sa famille de l'autre.

Assis à côté de mon hôte sous le ciel étoilé de cette jungle d'Asie du Sud-Est, je me rends compte qu'un pays étranger a occupé ses pensées toute sa vie et l'a influencé à chaque pas. De sa carrière à ses orientations politiques en passant par sa vie de famille, les États-Unis ont eu sur Thong une influence réelle et quotidienne.

Nous revenons à la réalité au son de la voix de ses petits-enfants souhaitant ravoir leur grand-papa.

Le sourire de Thong revient, sincère. La petite histoire a gagné sur la grande.

LES TERRASSES DE RIZ

VIETNAM

Nous sommes le 24 décembre. Après une longue montée, j'atteins le sommet du col où se trouve la frontière entre le Laos et le Vietnam. Dans quelques minutes seulement, il fera nuit noire.

Il ne serait pas sécuritaire d'entamer immédiatement la route de funambule qui longe la falaise de l'autre côté. Je demande donc à quelques douaniers laotiens où je pourrais planter ma tente. « Mais n'importe où ! » me répondent-ils gaiement. Ils me pointent même l'herbe tout juste à côté du poste frontalier.

C'est donc au sommet d'une montagne, entre deux pays, sous un ciel étincelant d'étoiles et en compagnie de quelques douaniers asiatiques que je passe tranquillement cette veille de Noël. Et c'est parfait.

*

La frontière passée, je me mets à serpenter dans les vallées du nord du Vietnam. Le terrain est plissé comme une peau d'éléphant. Je me dirige vers Hanoï au sud-est en faisant quelques détours pour apercevoir les fameuses rizières dans les montagnes. Je m'arrête dans une toute petite épicerie au milieu d'un village afin d'y faire le plein d'eau. Au fond du magasin se trouve un réservoir sur lequel est installé un robinet. Deux petits verres sont à côté. Je me sers directement au robinet.

Mon bidon est presque rempli lorsque la dame de ce dépanneur accourt en me faisant de grands gestes pour me signifier d'arrêter. Elle m'enlève la bouteille des mains et me la fait sentir. Dans le magasin dont la devanture est largement ouverte sur la rue, je réalise que tous les voisins me regardent en riant. Je sens mon « eau » et constate que je viens de me verser presque un litre d'alcool fort... Nous avons beau rincer abondamment le bidon, le goût et l'odeur de la boisson vietnamienne resteront présents pendant une semaine !

*

Des vallées de palmiers jusqu'aux sommets de conifères, je grimpe en direction de la région de Mu Cang Chai. Le riz a déjà été cultivé à l'automne, deux mois auparavant, mais il est quand même possible de voir comment les terrasses ont été créées de main d'homme. Le paysage est complètement transformé en magnifiques et colorés escaliers géants.

Chaque palier est fabriqué à partir de boue qui sera érigée en murs. Ceux-ci retiennent l'eau nécessaire pour faire pousser le riz. Cette technique permet d'utiliser tout le versant d'une montagne et d'en décupler la surface cultivable.

Cela est particulièrement utile, considérant qu'entre les falaises et les terres inondées, les terrains plats se font rares. J'en trouve un dans la pénombre du soir pour planter ma tente, près d'une maison qui semble inhabitée.

Le lendemain matin, je suis réveillé par du bruit à l'extérieur de mon abri. J'ouvre ma porte et vois une quinzaine de jeunes qui épient gentiment ma sortie. La maison soi-disant abandonnée est plutôt une école, et son terrain plat est l'aire de jeux!

De plus en plus d'enfants se joignent à la fête improvisée. Je les laisse regarder et toucher mon équipement pendant que je range mon campement. Je repense en souriant à la réponse de ce douanier à qui j'avais demandé où je pouvais planter ma tente... « Mais n'importe où! »

Les rizières sont bâties à même l'argile qui formera des centaines de petits barrages qui retiendront et répartiront l'eau nécessaire. Le niveau d'eau doit s'élever en même temps que la tige de la plante, sur un sol régulier afin que la profondeur soit la même pour tous les plants.

PÈRE ET FILS

VIETNAM

La dernière fois que j'ai vu mon père, André – que je surnomme affectueusement Pops –, c'était il y a presque un an à l'aéroport de Montréal. Je le retrouve maintenant avec joie à Hanoï, la capitale vietnamienne. Il y débarque en pleine nuit avec son vélo pour rouler avec moi tout le mois de janvier.

Instigateur de petits voyages cyclistes familiaux avant même le développement des pistes cyclables, c'est lui qui m'a transmis cette passion du vélo. Il a depuis sillonné le bitume de l'Amérique du Nord, des Caraïbes et de l'Europe.

Bien qu'il n'en soit pas à ses premières armes à vélo, il faut admettre que ma réalité est assez loin des voyages où tout est réglé d'avance. Hors des sentiers touristiques, chaque jour est une surprise et rien ne peut être tenu pour acquis. Je ne peux lui faire aucune promesse concernant la route, la qualité des logements ou la nourriture.

Mais Pops arrive confiant et souriant. À une heure du matin, lorsqu'il gagne l'hôtel, ses appréhensions étaient bien loin derrière notre joie de nous retrouver.

*

Je ne m'en faisais pas pour les qualités athlétiques de mon père. Même après tous mes kilomètres parcourus, je n'ai toujours pas atteint le calibre de ses jambes à pistons. Toutefois, André n'est pas un grand jaseur. Ensemble 24 h sur 24 durant un mois, aurions-nous assez de choses à nous dire ?

Je me suis inutilement inquiété. La proximité forcée délie nos langues et je découvre davantage l'homme qu'est mon père au cours de ces quelques semaines que durant les trois dernières décennies. À manger dans des restaurants en bordure de la route, à rouler côte à côte, à partager des chambres d'hôtel, j'en apprends sur son enfance, ses rêves, ses tristesses. En lui découvrant des faiblesses insoupçonnées, il ne m'apparaît que plus fort.

À rouler ainsi dans les difficiles conditions cyclistes du Vietnam, un défi commun se dresse devant nous. Pas en matière de routes, qui sont droites et plutôt belles, mais certainement au sujet du bruit constant et infernal des klaxons. Chaque véhicule, de la plus petite moto au plus gros camion, klaxonne à qui mieux mieux plusieurs fois en nous dépassant à vive allure. Et étant donné que le tiers de la population du pays de presque 95 millions d'habitants demeure le long de la côte où nous roulons, ce n'est pas la circulation qui manque.

Je monte le volume de mes écouteurs et tente de garder mon calme malgré la cacophonie. Mon père s'enfonce des bouchons orange dans les oreilles.

L'émerveillement de mon père en train de découvrir toutes ces nouveautés sur la route me rappelle aussi les surprises qui se présentaient à moi durant les premiers jours de mon voyage. À travers ses yeux, je recommence à apprécier le bonheur des enfants que nous croisons, ce que j'avais commencé à tenir pour acquis. De la même façon, il s'étonne et me fait remarquer la pauvreté quasi omniprésente. À elle aussi je m'étais tellement habitué que je ne la remarquais presque plus.

Je constate enfin avec humour que mes critères de qualité en matière de chambres d'hôtel sont descendus encore plus bas que je ne le croyais. En entrant, mon père s'exclame « Eh *boy*! Quel trou ! » tandis qu'au même instant je déclare « Oh, c'est beau ! ».

Dans cette petite chambre, je dépose mon ordinateur portable entre nous deux sur un des lits, et nous regardons un film ensemble. J'en oublie pendant une seconde le voyage, les klaxons, la chambre d'hôtel à l'autre bout du monde. Puis je réalise avec étonnement que je ne suis pas sur le divan familial à regarder « normalement » un film.

Après toutes ces nuits passées en tente, en auberge ou chez des inconnus, sous la pluie, dans la neige ou le sable, je ne suis même plus certain de savoir ce que c'est que la normalité.

Peut-être que, peu importe où l'on est, la normalité, c'est d'être bien en famille. Et c'est ce que je ressens à ce moment avec mon père.

*

Voyager en solo permet d'être plus accessible aux autres, de faire plus de rencontres, de vivre des expériences différentes et parfois plus intenses. Mais ces expériences vécues seul ne deviennent que des souvenirs individuels.

Déjà, je suis reconnaissant envers mon Pops de s'être joint à mon périple. Au fil des jours, des conversations et des défis, je comprends que nous faisons bien plus que pédaler ensemble durant un mois. Nous sommes en train de créer une éternité de souvenirs.

Au contraire du piroguier, mon père préfère pagayer avec ses bras.

DANS L'EAU CHAUDE

VIETNAM

Juste au sud de la baie d'Ha Long – l'un des sites les plus touristiques du Vietnam, au nord-est du pays – se trouve l'île de Cat Ba. Mon père et moi y passons quelques jours au même hôtel. J'en profite pour laver à la main quelques vêtements. En soirée, je suspends l'un de mes deux chandails de vélo près de la fenêtre de la chambre, située au huitième étage.

En ouvrant les yeux vers 6 h le lendemain matin, je me rends compte que mon chandail n'y est plus ! Le vent s'est levé durant la nuit et a emporté mon vêtement avec lui. Je passe ma tête dans la noirceur de l'extérieur et je repère mon fugitif chandail sur le toit de l'édifice voisin. Dans la pénombre, j'analyse de là-haut le chemin possible pour le récupérer. La construction carrée entoure une cour intérieure, et des drapeaux officiels sont plantés un peu partout. Ce doit être une école.

Pendant que je prends ma lampe frontale, mon père tente de me dissuader d'entreprendre mon projet. Je lui explique que chacun de mes vêtements a été soigneusement choisi et que je ne pourrai pas remplacer cette perte avant plusieurs mois si je laisse mon gilet ici. J'ajoute : « Et puis, ça va prendre seulement quelques minutes. »

Je sors de l'hôtel et me dirige vers l'édifice voisin où je passe le porche pour entrer dans le bâtiment. Je marche dans quelques corridors de cette école encore inanimée, puis je sors de l'autre côté. Je fais le tour de la cour intérieure jusqu'à trouver une grande échelle sur laquelle je grimpe. Les jambes tremblantes – je déteste les hauteurs –, je monte successivement trois étages dans un enchevêtrement de fils électriques. Je continue le reste de l'ascension sur une antenne de télévision, jusqu'à ce que j'atteigne enfin le toit de tuiles. De là, je réussis à ramper jusqu'au chandail fugueur.

C'est alors que j'aperçois quelques hommes qui me regardent du plancher des vaches, sans doute attirés par le bruit de mes pas sur le toit. Dans mon naïf optimisme, je leur fais signe que tout va bien. Je redescends par le même chemin et leur explique que mon chandail est parti au vent et que je suis simplement venu le chercher rapidement.

Les hommes m'apprennent que je viens plutôt d'entrer par effraction et de marcher sur le toit d'une station de police… au Vietnam communiste. Je sens soudainement l'air froid du matin me traverser le corps, comme un désagréable frisson.

Les agents me demandent de les suivre jusqu'à leur chef. De petite taille, comme la plupart des Vietnamiens, l'homme au début de la quarantaine a les cheveux noirs peignés sur le côté et un regard sévère. Il me fait signe en silence de m'asseoir devant lui, puis trace son nom dans la poussière sur la table entre nous : Ngoc Nguyen.

«Tu sais que c'est une station de police ici?
– Oui, c'est assez clair maintenant.
– C'est interdit d'être ici.
– J'avais commencé à le comprendre...»

Je tente de m'expliquer durant plus d'une heure avec le chef Nguyen. Lorsque celui-ci quitte la pièce, un garde est laissé à ma porte et un autre est posté dans la même pièce que moi, impassiblement assis sur un lit de camp. La chanson *Les portes du pénitencier* me vient en tête...

Des policiers sont alors envoyés à mon hôtel pour réveiller le gérant, qui se ramène en colère contre moi. «Pourquoi tu ne nous as pas demandé d'aller chercher ton chandail?» me demande-t-il en m'attribuant au passage quelques épithètes peu envieuses. «Je ne voulais pas vous déranger pour mon erreur...», marmonné-je en guise de réponse. «C'est plus ou moins réussi!» siffle-t-il entre ses dents avant d'aller rencontrer le chef.

Après presque une autre demi-heure de discussion, le gérant m'extirpe de cette situation en écrivant et en signant un papier dans lequel il se rend responsable de ma future conduite. «Ils voulaient juste me montrer leur pouvoir!» fulmine-t-il en sortant.

Je sors dans les pas de mon sauveur. «*Nice to meet you*», me dit le chef Nguyen, railleur.

Je reviens enfin à la chambre plus d'une heure et demie plus tard. J'avais pourtant dit que je m'absentais cinq minutes. Mon père, qui s'est habitué à mes aventures au cours de la dernière année, était peu inquiet. Il est même allé déjeuner pendant mon absence! «Où étais-tu? me demande-t-il quand même. Tu t'es fait d'autres amis en chemin?»

On peut dire ça, Pops, on peut dire ça.

J'ai raté mon bateau parce que j'ai mis trop de temps à prendre cette photo de l'île aux Singes, près de la baie d'Ha Long.

UN PEUPLE ASPHYXIÉ

VIETNAM

Dans le centre du pays, à Dong Hoi, mon père et moi rencontrons la jeune Yen. L'employée de l'hôtel étudie en tourisme à l'université. Elle nous confie à voix basse avoir de la difficulté à vivre sous un régime communiste. « Les gens qui siègent aux différents comités locaux y sont souvent placés par le gouvernement central en échange de leur loyauté. Et ils se croient tout permis », nous dit-elle.

L'étudiante nous parle de ses ambitions. Avec la certitude de quelqu'un qui a déjà longuement réfléchi à la question, elle dit qu'elle souhaite faire assez d'argent pour ne pas être pauvre, mais ne pas vouloir devenir riche non plus. « Au Vietnam, les riches perdent leur humanité. »

Quelques jours plus tard, je fais la rencontre de Sandy, dont le vrai prénom est Trang. Comme beaucoup d'Asiatiques, elle s'est choisi un second prénom à consonance anglaise dans le but d'aider ses collègues et amis occidentaux à le prononcer, et aussi pour éviter de répéter constamment celui-ci. Dans le domaine de la technologie, le nom américain est aussi considéré par beaucoup comme une nécessité, permettant de se conformer et de réussir au sein d'une communauté scientifique où l'anglais domine.

Dans son cas, ce choix s'est effectué lorsqu'elle a quitté son Hanoï natal afin de poursuivre ses études à Singapour. Après plusieurs années universitaires dans la cité-État, elle a passé la fin de sa vingtaine en France, jusqu'à terminer des études postdoctorales en génie des matériaux.

En partie à cause des difficultés pour obtenir un visa de travail et en partie devant l'insistance de sa famille, elle est récemment revenue au Vietnam. Elle est chargée de cours en technologie à l'université de Hanoï et fait de la recherche sur les matériaux utilisés dans les panneaux solaires.

Je suis franchement impressionné par son parcours scientifique. Mais Sandy me rappelle assez vite qu'en terre communiste, tout le monde est égal.

« Je gagne l'équivalent de 180 $ US par mois. J'habite chez mes parents, parce que je ne peux pas me permettre de payer un loyer. J'ai un doctorat en génie, et les éboueurs font plus d'argent que moi », m'explique-t-elle.

Sandy est un peu triste, mais pas en colère. Elle avait une bonne idée de la réalité locale lorsqu'elle a décidé de rentrer au pays. Toutefois, c'est autre chose quand on réalise que les diplômes ne paient pas les factures.

*

Je suis en train de faire remarquer à mon père que le gouvernement semble étouffer beaucoup de jeunes étincelles dans ce pays d'Asie du Sud-Est lorsque nous traversons le 17e parallèle. Celui-là même qui séparait le nord du sud durant la guerre du Vietnam – la guerre américaine, comme on l'appelle ici.

Cette ancienne frontière a tout d'abord été établie en 1954, à la suite de la guerre d'Indochine et du retrait de la France. Cette zone dite démilitarisée, large de 10 km, s'étendait du Laos à la côte. Au départ des Français, le nord du pays est devenu la République démocratique du Viêt Nam, fondée par Hô Chi Minh. Le sud fut pendant un moment une monarchie, avant de devenir aussi, l'année suivante, une république démocratique. La non-reconnaissance par les États-Unis de la légitimité du nouvel État au nord marquera le début de cette longue guerre du Vietnam qui prendra fin en 1975.

Nous pédalons sur ce 17e parallèle où deux mondes se sont affrontés jusqu'à ce que nous arrivions aux tunnels de Vinh Moc.

Ce village côtier stratégiquement situé représentait à l'époque une menace pour les Américains, qui y voyaient un point de ravitaillement possible pour l'armée du Nord-Vietnam. Les habitants furent forcés de quitter les lieux. Mais n'ayant nulle part où aller dans ce territoire assiégé, ils creusèrent plutôt des galeries s'enfonçant jusqu'à 30 m sous terre afin de se protéger des bombes.

De 1966 à 1972, jusqu'à 600 personnes y vécurent simultanément en secret au nez des Américains. Dans ces tunnels noirs, on bâtit des mini-alcôves servant de chambres, un emplacement pour les toilettes, une infirmerie, quelques puits pour l'eau et des trous pour l'air. Pour chaque repas préparé, les habitants devaient s'assurer de dissiper la fumée avant qu'elle ne sorte du sol. Par crainte de se faire voir, pratiquement tout devait s'effectuer sous la terre, incluant donner naissance. On dit que 17 enfants sont nés dans ces conditions, dans les recoins de ces passages étroits dont la hauteur variait entre 1,5 et 1,9 m...

Mon père et moi joignons un petit groupe de Polonais pour une visite guidée sous la terre. Je suis en train de prendre quelques photos quand je réalise que le groupe s'est déjà éloigné. J'allume ma lampe frontale et cours pour le rattraper, mais je me trompe de chemin. Je reviens rapidement sur mes pas et prends aussi vite une autre direction. Je ne vois toujours personne...

Je m'arrête, haletant. Un mince ruisseau coule à mes pieds, rendant le sol boueux. Je suis à 20 m de profondeur, dans une nuit totale, à l'exception de l'étroit faisceau lumineux produit par ma lampe frontale. L'air est lourd et immobile. Les seuls sons qui ne sont pas absorbés par les énormes murs de roches sont ceux de ma respiration et des battements de mon cœur. Devant moi se trouve un labyrinthe de cinq ou six voies différentes qui s'enfoncent vers les trois étages de tunnels – 2 km de long au total. Comme j'ai suivi le groupe, je n'ai pas remarqué par où je suis arrivé.

Je prends alors réellement conscience de l'énorme difficulté de devoir vivre en cachette dans cet environnement humide, noir et froid. À dormir, manger, élever des enfants et s'aimer dans la boue, durant des années...

Je garde mon calme. Je tourne un peu en rond, mais en prenant systématiquement les chemins qui montent, je réussis à revenir à la surface, juste à l'opposé de notre entrée. Je reviens au point de départ pour rassurer mon père inquiet.

Hier comme aujourd'hui, le peuple vietnamien doit inventer des moyens pour contrer les obstacles sur son chemin. En quittant les lieux, je pense à Yen et à Sandy. J'espère qu'elles réussiront elles aussi à trouver leur chemin vers la lumière.

Avant que je ne me perde dans les longs et profonds tunnels de Vinh Moc.

LA DURE EXISTENCE DES VIETNAMIENNES

VIETNAM

Après le départ de mon père, je prends la décision de loger un temps dans un hôtel de la ville de Hué, au centre du Vietnam. J'ai besoin de m'isoler du bruit et de demeurer au même endroit quelques jours. À la propriétaire qui me demande combien de temps je pense rester, je réponds une semaine. Je ne repartirai qu'un mois plus tard.

Le Times Hotel vient juste d'ouvrir ses portes. Les propriétaires, Trach et Vinh, sont un jeune couple local et tous leurs employés sont des membres de la famille, au sein de laquelle on m'accueille rapidement.

Je partage bientôt presque tous mes repas avec eux. Je les accompagne à l'épicerie ou au marché, le chaleureux hall d'entrée devient mon salon et je travaille même parfois à la réception. Un jour, Trach m'invite dans son village natal rencontrer sa famille élargie. Plus que d'un lit confortable, c'est de cette amitié stable que j'avais besoin.

Mon long séjour dans cette famille vietnamienne m'a permis de découvrir tout un pan de la culture du pays, mais surtout de réaliser à quel point la vie y est difficile pour la moitié du genre humain.

Sur les routes, les travaux de construction les plus physiques sont bien souvent accomplis par les femmes. Elles transportent de la petite pierre à la main dans des paniers d'osier afin de la répandre là où les hommes l'égaliseront au râteau. Les femmes se trouvent aussi en grand nombre dans les plantations de riz, pieds dans la boue, visages mouillés par la pluie, dos courbé sur leurs semences. Elles s'échinent dans les restaurants, les hôtels et les magasins durant des heures interminables et presque sans journées de congé.

On trouve aussi souvent des hommes dans les restaurants, mais ils sont occupés à boire de la bière locale entre eux et à pointer ou à crier à leur épouse ou à leur sœur la présence d'un nouveau client.

C'est avec tristesse que je constate à quel point les femmes sont encore loin d'être traitées à l'égal des hommes au Vietnam. Eux peuvent avoir une maîtresse, ou même fréquenter des prostituées au su de tous, ils n'en sont pas moins respectés. Mais la femme, mariée ou pas, doit constamment être prudente pour ne pas avoir l'air d'accorder trop d'attention à un homme.

C'est particulièrement vrai pour les jeunes filles. Si, par malheur, celles-ci décident de ne pas marier leur première fréquentation, elles sont alors cataloguées par la grande majorité – autant les hommes que les autres femmes – comme « usagées ». Et si une jeune femme

Les rizières sont aplanies avec l'aide d'animaux et d'outils rudimentaires. Les grains de riz, d'abord semés sur un terrain enrichi d'excréments, deviennent de jeunes plants que les femmes repiqueront à la main avant de récolter les grains précieux au couteau ou à la faucille. Ce travail pénible les oblige à courber le dos toute la journée et à bien se protéger des rayons du soleil cuisants à cause de la réflexion sur l'eau.

n'est pas mariée passée la jeune vingtaine, on se demandera alors quel est le problème avec elle. Une telle date limite maritale existe aussi pour les hommes, bien que celle-ci soit beaucoup plus souple et qu'on fasse preuve à leur égard de plus de tolérance.

Cette situation, je l'ai moi-même vécue à quelques reprises. Répondant comme d'habitude par la négative à la question « Es-tu marié ? », on me regardait avec étonnement. « Je ne comprends pas pourquoi ; il ne semble pourtant pas y avoir de problème avec toi. »

La triste conclusion de cette façon de penser, combinée à l'importance primordiale de l'institution du mariage au pays, est que beaucoup de filles se marient très jeunes pour ne pas perdre l'occasion d'avoir un mari et une famille. Conséquemment, les mariages sont trop souvent malheureux, les époux étant forcés de passer leur vie avec leur premier flirt d'adolescence...

Au sein de ces couples de façade, les ambitions déçues sont léguées à leurs (nombreux) enfants, qui suivront étrangement bien souvent la même voie de manière à respecter la tradition.

Comme si ce n'était pas assez, la violence physique envers les femmes n'est pas non plus chose rare. Deux jeunes Canadiennes – qui demeurent au même hôtel – et moi en sommes témoins directement dans la rue, sous le regard indifférent de nombreux observateurs. Chavirés, nous en parlons à nos amis vietnamiens. Ils tentent de nous rassurer sur la fréquence de ce comportement. « Ce n'est pas tout le monde qui est comme ça, nous dit-on, seulement de 30 % à 50 % des couples. » La réponse censée nous apaiser nous laisse encore plus abattus...

Mes nombreuses questions à propos de cette violence amènent Nhan, une jeune mère de famille, à m'expliquer ce qui devrait changer à ses yeux pour contrer cette violence.

« Les femmes ne sont pas indépendantes de leurs maris, me dit-elle. Financièrement et socialement. Elles ont peur de parler et de se retrouver seules. Elles ont aussi souvent moins d'éducation. Surtout, on leur apprend dès l'enfance à être la "femme parfaite", celle qui doit toujours faire passer sa famille, même élargie, en premier. Parler contre son mari fait naître de la honte dans les deux familles. »

En référence à la scène brutale qui nous a bouleversés, Nhan acquiesce à propos de l'indifférence de la société. « S'ils ne sont pas directement concernés, croit-elle, les gens ne parleront pas, car ils considèrent que ce n'est pas de leurs affaires. Ce qu'une famille fait ne concerne qu'elle. »

*

C'est difficile, en tant qu'étranger, d'arriver dans un endroit et de proclamer que leur façon de vivre n'est pas « la bonne ». Mais je crois qu'il est possible d'avoir une influence positive simplement en s'intéressant aux gens et en agissant avec gentillesse.

Au Times Hotel, longtemps on a refusé que j'apporte mon aide pour la vaisselle ou le ménage, même si on m'offrait sans compter nombre de repas gratuits. Un jour que l'on me poussait une énième fois du lavabo, j'ai demandé si on refusait mon aide parce que j'étais un touriste. « Non, me dit-on, c'est parce que tu es un homme et que ce n'est pas ton rôle. » Rôle ou pas, j'ai fait ce que ma mère aurait voulu et j'ai continué d'insister jusqu'à ce que l'on accepte, espérant montrer un peu aux autres hommes qu'on peut certainement prendre plaisir à aider aux tâches ménagères.

Il m'a semblé que les femmes de la plus jeune génération sont plus conscientes de leur valeur et de leur potentiel. Mais pour elles, comme pour la très grande majorité de la population, le chemin vers l'égalité semble encore bien long.

Pour quelques dollars, j'ai droit à une chambre sommaire, à un ventilateur et, surtout, à une douche à l'eau froide.

DISPARITION SAUVAGE

LAOS / CAMBODGE

Harassé par la cacophonie vietnamienne, j'ai retardé longtemps mon départ de l'hôtel de Hué. Même après avoir pris la décision de revenir vers le calme et accueillant Laos, je peine à retrouver ma motivation et l'énergie nécessaire pour avancer chaque jour.

Dans le sud du pays, je fais face à un énième défi. En plus de la température insoutenable, de l'humidité qui active mes pores de peau et de la route qui s'allonge éternellement devant moi, l'horizon se couvre maintenant d'un véritable écran de fumée permanent. Nul besoin de chercher longtemps avant de trouver l'origine de cette boucane puisque des flammes provenant des clairières et des bois viennent parfois lécher le bord du chemin.

Je fais ainsi connaissance avec l'agriculture sur brûlis, appelée aussi *slash-and-burn*. Cette technique millénaire consiste à abattre grossièrement la forêt à la hache puis à brûler ce qui reste au sol. Les semences sont ensuite déposées directement sur les cendres, sans aucun autre labour ni préparation de la terre.

Mais ces cendres ne nourrissent le sol qu'en surface et que très faiblement. En moins de trois à cinq ans, les qualités nutritives de la terre sont déjà épuisées, et l'on doit passer à la prochaine parcelle. La nature prendra alors de 10 à 15 ans pour se régénérer.

En soi, la méthode n'est pas mauvaise lorsqu'il y a abondance de terrain. Utilisée à très petite échelle dans une agriculture de subsistance, elle peut causer moins d'érosion que les immenses monocultures commerciales qui ne peuvent survivre sans fertilisants. Pour les habitants qui n'ont pas les moyens de se procurer les outils nécessaires, le feu s'avère une option rapide et peu coûteuse pour défricher la dense végétation tropicale.

Mais avec une population sans cesse grandissante, et de plus en plus ouverte aux marchés internationaux, ce procédé est aujourd'hui employé par 200 à 500 millions de personnes dans le monde. La rotation des sols s'accélère, sur des territoires de plus en plus grands. La nature perd du terrain et la grande biodiversité des régions tropicales, où on a le plus recours à cette technique, est détruite avec une constance inquiétante.

Certaines espèces végétales et animales disparaissent, de même que des bactéries et des champignons nécessaires à la culture. À grande échelle, surtout lorsque les plantations deviennent permanentes, le sol finit par ne plus contenir assez de racines permettant d'absorber l'eau. Le terrain s'érode et perd ses minéraux. La jungle est remplacée par un cycle de désertification.

Différents gouvernements en Asie du Sud-Est ont imposé des interdictions nationales concernant ce type d'agriculture, mais celles-ci sont peu respectées. Au moins une fois par année, la fumée crée un inquiétant smog qui recouvre plusieurs pays pendant des semaines.

Le caoutchouc naturel se récolte à la main sur les hévéas.

Je n'en crois pas mes yeux lorsque je croise un cornac
et son éléphant qui déambulent nonchalamment
sur une route rurale du Cambodge.

Dans ces régions où la population était historiquement dispersée à travers la forêt tropicale, la propriété des terres n'est souvent pas claire. La déforestation est ainsi bien souvent causée par des fermiers qui tentent simplement de survivre sur une parcelle de sol pauvre qui ne leur appartient pas. Protéger ces terres à long terme n'est donc pas leur priorité. Par conséquent, je continue de rouler dans un pays en feu.

*

Quelques jours passent. Rendu au nord du Cambodge, je traverse à nouveau de grandes forêts, mais cette fois visiblement plantées de main d'homme. Les arbres, tous de la même espèce, sont alignés également à perte de vue. De grands gobelets y sont accrochés à la façon des seaux pour récolter l'eau d'érable. Toutefois, le liquide qui s'accumule ici ressemble plutôt à un lait épais, rappelant même le bon vieux Liquid Paper.

Ce sont des hévéas, ou arbres à caoutchouc. Mais contrairement aux entailles servant à recueillir la sève des érables, le latex naturel est extrait de l'écorce en prélevant une longue lamelle en spirale. À l'aide d'un couteau, de petites incisions sont pratiquées. L'arbre se mettra alors à se protéger et à se guérir de ces attaques en produisant ce caoutchouc liquide, qui coulera durant environ cinq heures.

Bien que l'hévéa soit originaire de l'Amazonie, il a été si bien implanté en Asie qu'on y produit maintenant plus de 90% de la production mondiale de caoutchouc naturel, plus élastique que le synthétique fabriqué à partir de pétrole. La demande asiatique étant grandissante, le rythme auquel on plante de nouveaux arbres a doublé depuis les années 2000.

Malheureusement, comme pour l'agriculture sur brûlis, ces plantations se font généralement au détriment de la forêt tropicale et de sa biodiversité. Dépassant la simple monoculture, la majorité des hévéas en Asie du Sud-Est sont même tous des clones de la même variété. Cela les rend encore plus vulnérables à une seule et unique maladie, causée par un champignon parasite.

Malgré cela, ces plantations sont encouragées puisqu'elles sont considérées comme du reboisement. Même si la forêt vierge doit être rasée pour y faire place.

Devant ce déprimant constat, il serait facile de juger de la destruction de ces forêts tropicales. Et pourtant, même si nous, en Amérique du Nord, bénéficions de beaucoup d'expérience et d'éducation, nous devons apprendre à mieux gérer et à protéger nos propres forêts.

Ici comme ailleurs, c'est l'argent qui compte. Des fermiers les plus pauvres aux entrepreneurs les plus prospères, tous tentent de faire de leur mieux avec leurs ressources.

Différentes idées sont mises à l'essai dans le but d'ajouter une valeur monétaire à une forêt vierge. Certains agriculteurs se font payer afin de garder intacte ou de mieux entretenir leur parcelle de forêt. Aussi, des activités d'écotourisme se développent progressivement dans d'autres régions.

Dans tous les cas, l'éducation rapporte certainement. Plusieurs fermiers ont récemment été encouragés à planter d'autres espèces d'arbres entre les rangées d'hévéas. Cette diversification, en plus d'aider à contrer l'érosion, génère un revenu supplémentaire – et bienvenu – pour les propriétaires.

Espérons que ces nouveaux projets s'enracinent plus rapidement que la vitesse à laquelle disparaît la forêt tropicale.

J'ai l'impression qu'on vient d'allumer une ampoule à l'extérieur de ma tente. Des éclairs zèbrent le ciel toutes les deux secondes dans une immense furie. Les pieds et le trépied dans la boue, les jambes couvertes d'insectes, je ne peux rater l'occasion de capter cette intensité électrique.

TUER DES INNOCENTS

CAMBODGE

Je connaissais le nom des Khmers rouges, mais sans plus. De l'autre côté de la planète, nos connaissances de l'Asie du Sud-Est sont généralement assez limitées. Pour en apprendre davantage sur ce morceau de l'histoire du Cambodge, j'ai voulu faire un détour vers la capitale, Phnom Penh.

C'est dans un contexte de guerre du Vietnam, le pays voisin, que le mouvement des Khmers rouges prit de l'ampleur dans les campagnes. Après avoir changé quelques fois d'allégeance entre la Chine et les États-Unis, le roi Sihanouk du Cambodge perd son trône en 1970. Désirant reprendre le pouvoir, il s'allie en 1975 avec les Khmers rouges, ses anciens ennemis. La guerre civile s'intensifie entre le roi déchu et le premier ministre au pouvoir. Pendant ce temps, les États-Unis bombardent des pans du pays dans le but d'affaiblir les Nord-Vietnamiens qui s'y trouvent.

Réalisant qu'on s'est servi de lui et qu'il ne contrôle rien, Sihanouk démissionne en octobre 1975, quelques mois à peine après avoir réussi à reprendre son trône.

Les Khmers rouges restent au pouvoir et le Cambodge est renommé Kampuchéa démocratique en janvier 1976 par le nouveau chef, Pol Pot. Ce pays, qui n'a de démocratique que le nom, bascule alors rapidement dans une situation où sa population est pratiquement réduite à l'esclavage.

Pol Pot souhaitait plus que tout un retour à la terre. Il imposa aux citoyens de toutes les villes cambodgiennes des exils massifs vers les campagnes les plus reculées. Juste aux environs de Phnom Penh, deux millions de personnes durent quitter à pied leur maison et leur ville.

Trop de gens se retrouvent alors dans les champs. La machinerie agricole leur est enlevée afin de les obliger à revenir à des valeurs et à du travail plus traditionnels.

Très rapidement, les gens meurent de faim. Hommes, femmes et enfants sont forcés de travailler la terre, parfois jusqu'à 19 heures par jour, sans outils et sans aucune connaissance de ce métier. Les maigres récoltes de riz sont saisies et vendues en Chine dans le but de financer l'achat d'armes pour le régime.

Des centaines de milliers de personnes décèdent chaque année en raison de cette famine créée de toutes pièces par la folie d'une poignée d'hommes. La taille exacte de la population durant l'avant-guerre était mal connue. On estime néanmoins aujourd'hui que, durant les quatre années de ce régime, soit de 1975 à 1979, de 1,7 à 3 millions d'habitants auraient perdu la vie. Le quart du pays.

*

REGLEMENT DES AGENTS DE SECURITE

1- Réponds conformément à ma question que je t'ai posé. N'essaie pas de détourner la mienne.
2. N'essaie pas t'échapper en prenant des prétextes selon tes idées hypocrites. Il est absolument interdit de me contester.
3- Ne fais pas l'imbécile car tu es l'homme qui s'oppose à la révolution.
4. Réponds immédiatement à ma question sans prendre le temps de réfléchir.
5. Ne me parle pas de tes petits incidents commis à l'encontre de la bienséance.Ne parle pas non plus de l'essence de la révolution.
6. Pendant la bastonnade ou l'électrochoc,il est interdit de crier fort.
7. Reste assis tranquillement. Attends mes ordres, s'il n'y a pas d'ordre, ne fais rien.Si je te demande de faire quelque chose fais- le immédiatement sans protester.
8. Ne prends pas prétexte sur Kampuchea Krom pour voiler ta queule de traitre.
9- Si vous ne suivez pas tous les ordres ci- dessus, vous recevrez des coups de bâton, de fils électrique et des électrochocs (vous ne pourrez pas compter ces coups).
10- Si tu désobéis à chaque point de mes règlements, tu auras soit dix coups de fouets, soit cinq électrochocs.

Dans le centre S-21, une salle de classe convertie en cellules de prison.

Au cœur de Phnom Penh, je visite le centre S-21, ou Musée du génocide de Tuol Sleng (dont le nom signifie « colline empoisonnée »). Cet endroit est le plus connu parmi les quelque 190 prisons du régime. Environ 14 000 personnes y ont été détenues avant d'y trouver la mort. On soutirait les confessions par la torture, le plus souvent pour des crimes imaginaires, avant d'aboutir à une exécution presque inévitable. Les experts du musée évaluent que seulement six ou sept prisonniers auraient survécu à leur passage au S-21.

Comme dans le reste du pays, tout ce qui s'apparentait le moindrement aux intellectuels était ciblé. Les médecins, avocats, ingénieurs, hommes d'affaires et membres du clergé étaient particulièrement visés. Le simple fait de parler une langue étrangère ou même de porter des lunettes – y compris chez les enfants – était une raison suffisante pour être assassiné.

Dans ce qui était jadis une jolie école primaire, des murs de briques ont été montés à l'intérieur des salles de classe pour former de minuscules cellules. Au centre de ces quelques bâtiments se trouvent deux beaux parcs verts, qui tranchent avec le reste de la ville à l'extérieur. Un endroit de rêve pour les écoliers, transformé en un espace où la torture était plus fréquente que les repas.

Beaucoup de prisonniers, se sachant condamnés, essayaient d'en finir plus rapidement en rivalisant tristement d'ingéniosité afin d'échapper à la torture. Le guide audio du musée apprend aux visiteurs que l'un des détenus se serait transpercé la gorge avec le crayon qu'on lui avait fourni pour signer une fausse confession. Un autre aurait versé le contenu d'une lampe à kérosène sur sa tête et se serait immolé...

Toutes ces histoires me rendent malade. L'éternel optimiste que je suis ne peut concevoir que l'homme puisse devenir si mauvais envers son prochain. Je ne semble pas être le seul, car le musée pourtant rempli de touristes baigne dans un silence respectueux.

La dernière pièce à visiter est remplie de crânes comportant de petits trous ronds au sommet de la tête. Ces perforations ne sont pas causées par des balles de fusil, que l'on voulait économiser, mais plutôt par des pics ou des barres de fer que l'on martelait sur la tête des victimes...

*

Le lendemain, je me rends au village de Choeung Ek, au sud de la capitale. On y trouve l'un des champs de la mort (*killing fields*) où les Khmers rouges assassinaient systématiquement pendant la nuit les hommes, les femmes et les enfants qui arrivaient par camion.

N'importe qui ayant même l'idée de parler contre le régime était envoyé dans l'un de ces camps d'exécution. Parfois, les gardes eux-mêmes rejoignaient les rangs des victimes lorsqu'ils n'étaient pas assez empressés de purger le pays de ces « intellectuels ennemis ».

Pol Pot aurait même dit qu'il « [valait] mieux tuer un innocent que de garder en vie un ennemi ».

Et comme si tout cela ne suffisait pas, la piste faisant le tour du champ mène le visiteur à côté de « l'arbre de la mort ». Son utilité : servir à fracasser le crâne des bébés contre son écorce pour gagner du temps.

*

Le gouvernement des Khmers rouges, finalement chassé du pouvoir en 1979 par une invasion vietnamienne, a invraisemblablement été reconnu par les Nations unies comme un gouvernement en exil... jusqu'en 1990 !

Plus de 25 ans après la fin du régime, des procès ont abouti à la condamnation de certains des responsables de ces atrocités. Mais le pays, privé d'une bonne partie de ses diplômés, demeure l'un des plus pauvres d'Asie. Encore aujourd'hui, près de 60 % de la population vit d'un maigre travail agricole. La misère est particulièrement visible dans la campagne plus reculée, là où la majorité des maisons n'ont toujours pas l'eau courante ni l'électricité. Le contraste est extrêmement frappant en comparaison avec le Vietnam ou la Thaïlande, deux des pays voisins du Cambodge.

Je reprends la route la tête pleine d'images sombres. Cette visite était difficile mais nécessaire. Pour essayer de comprendre le côté noir et cruel des hommes. Pour se souvenir à quel point il peut être facile et rapide pour une société de sombrer dans l'horreur la plus absolue. Mais aussi pour apprécier encore plus la vie normale. Celle où les enfants sont heureux, les parents fiers, les hommes accueillants et les femmes confiantes. Tout ce bon monde que je rencontre constamment sur ma route. C'est à ces images et à leurs sourires que je me raccroche.

POLICIERS ET CRAPAUDS

CAMBODGE

Siem Reap, à l'ouest du Cambodge, est surtout connue pour être la ville la plus proche du site archéologique d'Angkor. Avec un million de visiteurs par année, ce complexe de ruines est de loin la principale attraction touristique du pays. Pas plus fou qu'un autre, je m'y suis arrêté avant de passer à nouveau en Thaïlande.

Au centre-ville, je suis attablé avec Nadine, une petite Allemande blonde dans la mi-vingtaine qui termine dans quelques jours un voyage de plusieurs mois avec sac au dos. En partageant nos aventures, elle m'avoue qu'elle aurait aimé avoir la chance de rencontrer plus de gens en dehors des sentiers touristiques. Je lui propose alors de louer un vélo et de m'accompagner pour un aller-retour vers une chute dans un parc national à quelque 80 km au nord. Partante sans trop savoir à quoi s'attendre, elle accepte le défi.

Nadine n'a cependant pas l'habitude des longues distances cyclistes. Ses fesses commencent à lui crier assez rapidement leur inconfort. Elle poursuit néanmoins avec le sourire, même lorsqu'un déluge tropical se met de la partie. Tout trempés, nous arrivons enfin au parc national vers 17 h, une grosse heure après sa fermeture. Je profite d'une petite accalmie de la pluie pour installer rapidement ma tente dans la forêt à l'entrée du parc. Je viens tout juste de terminer le campement lorsque deux policiers arrivent.

Mon amie est inquiète, mais je lui dis de ne pas s'en faire. En une année sur la route, jamais je n'ai eu à changer d'endroit contre ma volonté.

Mais les policiers cambodgiens ne veulent absolument rien savoir ! Je passe à travers toutes les excuses connues, rien n'y fait. Nous sommes forcés de remballer le camp. Il fait presque complètement nuit, il pleut, il n'y a aucun hôtel jusqu'à Siem Reap, et nous n'avons aucune idée où aller. L'air piteux, je regarde le policier en espérant que la situation change. Comme s'il voulait se faire pardonner, il propose : « Voulez-vous dormir au poste de police ? »

Deux mobylettes nous escortent donc jusqu'au poste, ce qui nous fait rebrousser chemin sur une distance de 9 km. L'endroit est une construction carrée en béton et compte quatre pièces fermées, deux de chaque côté d'un corridor ouvert sur le dehors. Abritée devant le poste sous une toile grossière, la cuisine consiste en une simple table à pique-nique et un vieux brûleur à gaz. Sans surprise, les toilettes sont aussi à l'extérieur.

Bora, le policier de garde, nous accueille et nous offre l'une des quatre pièces. Un vieux matelas bruni est au sol, une carabine est appuyée dans un coin à côté d'une casquette sale d'officier. La chambre foisonne de maringouins, mais au moins nous sommes au sec. Nadine est bien heureuse lorsqu'on nous invite à aller voir la douche. « Je ne m'exciterais pas trop avec ça à ta place », lui dis-je avec un clin d'œil, me doutant bien de quel genre de douche il s'agit.

Je me savonne entre deux seaux d'eau froide versés courageusement sur ma tête. Aucune porte ne ferme cet espace. Nadine passera finalement son tour.

Bora nous invite ensuite à souper avec son épouse et sa toute jeune fille. Au menu : du crapaud frit ! L'épouse du policier verse l'huile dans une grande poêle et les crapauds y sont jetés entiers. Je m'attends à retrouver l'aspect des cuisses de grenouilles. Étrangement, la texture et la couleur des gros crapauds dans mon assiette s'apparentent plutôt à de gros falafels, mais avec une colonne vertébrale...

Nous n'avons pas à chercher bien loin pour connaître la provenance de notre repas, car l'air de la nuit est rempli de coassements ! Mon Allemande, qui est végétarienne, me refile en cachette son batracien et se concentre sur son riz blanc.

*

Au matin, nous reprenons pour une troisième fois le chemin vers le parc national. À l'entrée, un garde nous demande notre billet. Il nous explique que nous aurions dû l'acheter à Siem Reap avant de partir... Apparemment, cette règle vient juste de changer et ne figure pas encore sur le site internet. Je regarde Nadine et lui expose nos options : faire un autre 60 km en espérant voir une autre chute, ou revenir à Siem Reap et à la piscine de l'hôtel.

Son sourire répond pour elle. Nous retournons vers la ville et son confort sans même avoir mis les pieds dans le parc.

Nous sautons dans la piscine aussitôt le long chemin du retour complété. « Tu viens de vivre deux jours à vélo en dehors des sentiers touristiques. Imagine ce que c'est de le faire durant une année ! » lui dis-je avec un clin d'œil.

Nadine me regarde, les yeux ronds, réfléchit quelques secondes et m'avoue en riant : « Je pense que deux jours étaient amplement suffisants ! »

KRUNG THEP POUTINE

THAÏLANDE

Je m'y attendais, mais le contraste entre le Cambodge et la Thaïlande est aussi violent que lorsque je suis entré la première fois au pays des Thaïs en provenance de la Birmanie.

En quelques mètres, le paysage change encore une fois de façon radicale. Je passe des ambulants vendeurs de brochettes sur charbon à un centre commercial hébergeant un Poulet frit Kentucky, un Dunkin' Donuts et quatre banques. La route du côté thaïlandais est pavée et au moins trois fois plus large qu'au Cambodge.

Sur cette nouvelle chaussée, j'arrive rapidement à Bangkok, une mégapole de presque 20 millions d'habitants, incluant sa banlieue. La capitale est appelée localement Krung Thep, abréviation de son nom complet qui, transcrit en lettres latines, compte incroyablement 21 mots totalisant plus de 700 lettres. Selon le *Livre Guinness des records,* cela en fait le nom de lieu le plus long du monde.

Bangkok, qui signifie « village des prunes », était en fait le nom du lieu original de la capitale avant son déménagement, en 1782, vers le village de Krung Thep, situé de l'autre côté de la rive. Depuis ce temps, les étrangers n'ont jamais cru bon changer leur référence, et l'ancien nom continue d'être utilisé par tous ceux qui ne parlent pas thaï.

Je traverse rapidement Bangkok-Krung Thep, dépasse le palais royal, de nombreux temples bouddhistes et d'innombrables marchés. Je me dirige en fait vers un restaurant bien précis auquel je rêve depuis des mois, le Bangkok Poutine.

Le casse-croûte doit sa notoriété autant au fait qu'il sert de la poutine garnie de vrai fromage en grains qu'à son propriétaire connu, l'éclaté globe-trotter Bruno Blanchet. C'est pourtant sa conjointe, la souriante Thaïlandaise Onnicha, qui est véritablement derrière le projet et les activités quotidiennes. Quelques années auparavant, propriétaire d'un autre *snack-bar,* elle explorait différentes options pour ajouter de la nouveauté dans son menu. Elle demanda à Bruno quel plat typique du Québec elle pourrait servir pour attirer les admirateurs du comédien. La réponse était évidente : de la poutine !

Monsieur Bruno s'est alors mis aux chaudrons et a montré à la Thaïlandaise comment préparer « de la vraie poutine ». Il lui a expliqué l'importance des trois différents ingrédients principaux et des diverses autres variétés. La sauce est faite maison et le fromage est même importé du Québec. L'idée de servir le trio patates-sauce-fromage en plein cœur de l'Asie connaît rapidement du succès. Aujourd'hui, la moitié de la clientèle du Bangkok Poutine est québécoise. Et elle tapisse d'ailleurs généreusement l'intérieur du restaurant de mots remerciant Bruno pour sa poutine thaïlandaise. Je demande à Onnicha si ça l'embête de voir tous ces remerciements adressés uniquement à son conjoint, alors que c'est elle qui court tous les jours entre les chaudrons fumants et les tables prises d'assaut.

Avec son éternel beau sourire, elle répond que toutes ces lettres proviennent de clients qui font grossir ses revenus, alors ils peuvent bien remercier qui ils veulent! Je comprends qui est la véritable femme d'affaires du couple.

Et la poutine dans tout ça? Pas mauvaise du tout! Je suis même revenu essayer différentes versions, rattrapant en deux jours toute mon année de privations poutinières!

Dans un parc national, plusieurs macaques se sont approchés pour renifler sans gêne mes sacoches qui sentaient sans doute encore trop la poutine.

UNE « GÉNÉREUSE » DISCRIMINATION

MALAISIE

Alors que je quitte la Thaïlande vers le sud pour entrer en Malaisie, la nourriture change, les peaux brunissent et des voiles encadrent le visage des femmes. Plusieurs signes annoncent mon retour en territoire musulman. Le changement est complet après la frontière. Les plafonds des chambres d'hôtel sont ornés de flèches qui orientent le pratiquant vers La Mecque. Les incantations des imams se remettent à sortir des haut-parleurs des mosquées, et même des stations de radio publiques.

Si l'État et environ 60 % de la population malaisienne sont musulmans, le pays a surtout la particularité d'être véritablement multiculturel et multiconfessionnel. Le groupe ethnique des Malais constitue un peu plus de la moitié de la population, les Chinois près de 25 % et les Indiens environ 7 %. Le nom « Indochine », donné historiquement à la péninsule continentale de l'Asie du Sud-Est, prend ici davantage son sens que chez tous les pays voisins.

Ce mélange hétéroclite résulte principalement de la présence des Britanniques. Pendant des décennies, des travailleurs étrangers ont été envoyés d'un coin à l'autre de l'Empire au gré des besoins ouvriers.

En 1957, la fédération qui allait devenir la Malaisie acquiert son indépendance. La constitution du pays déclare que tous les peuples sont égaux, tout en octroyant une « position spéciale » aux Malais. Pendant plusieurs années, cette position ne se reflète pas dans la société, car les Chinois locaux, plus urbains, contrôlent la majeure partie de l'économie. Ayant comme objectif de mieux répartir les richesses entre les différents peuples, la Nouvelle politique économique est mise en place en 1971.

Mais dès le début, la « race », plutôt que les besoins économiques, est ciblée. Des avantages précis sont donnés aux Bumiputras (ou simplement appelés Bumis), les « fils de la terre » formés principalement de Malais musulmans.

Encore aujourd'hui, les Bumis obtiennent automatiquement un rabais de 7 % à l'achat d'une propriété. Ils profitent de meilleurs taux d'intérêt, et certains quartiers résidentiels leur sont réservés. Les employés gouvernementaux sont majoritairement Bumis et les contrats publics leur sont généralement accordés en priorité. Dans certains cours préuniversitaires, 90 % des places leur sont aussi attribuées. Les autres membres de la société aptes à se payer des études sont forcés de fréquenter des écoles privées, quand ils ne choisissent pas de s'instruire à l'étranger.

Tous ces avantages ont contribué à faire diminuer la pauvreté au sein du pays. Évaluée à plus de 50% en 1970, elle affichait un taux de moins de 4% en 2017. Une plus grande proportion de Malais est aujourd'hui médecins, avocats, ingénieurs ou architectes, mais les Chinois et les Indiens, privés de l'accès aux emplois gouvernementaux, continuent d'être surreprésentés dans les professions libérales et dans l'économie en général. Cette discrimination institutionnalisée a aussi contribué à un exode constant des cerveaux. Les étudiants exilés au Royaume-Uni, aux États-Unis ou en Australie ont souvent préféré demeurer dans un pays d'accueil plus équitable.

Je ne serais cependant pas surpris de voir disparaître un jour ces politiques. Un récent sondage démontre que près des trois quarts des citoyens souhaitent voir des incitatifs économiques basés sur le mérite plutôt que sur la race. Ces résultats ne me surprennent pas, ayant été témoin de la grande ouverture des Malaisiens.

L'anglais est ici presque aussi répandu qu'une langue officielle. Il est ainsi facile d'avoir des conversations quotidiennes avec ce peuple bigarré, sans aucun doute l'un des plus généreux et curieux que j'aie côtoyés.

Alors que je suis assis à manger dans un restaurant à ciel ouvert, un Indien m'aborde pour me dire qu'il a déjà payé mon repas. Ailleurs, un vieux Chinois aux yeux doux et au visage rond fouille sous son banc de mobylette afin de m'offrir un petit jus en boîte. Il craint que cette chaleur me déshydrate, mais s'excuse gentiment de ne pas avoir davantage à me donner. Puis, près d'un étal en bordure de la route, une mère malaise et sa fille, après avoir constaté à quel point j'adore leur jus de canne à sucre, remplissent mes deux gourdes gratuitement.

En dépit des injustices toujours présentes qui créent différentes classes de citoyens, j'ai rencontré chez les Malaisiens de quoi inspirer le monde entier. Avec, somme toute, assez peu de tensions, le territoire a réussi à passer de colonie britannique à pays multiculturel ouvert et non complexé. La générosité, la curiosité et la gentillesse des habitants ne sont certainement pas étrangères au fait qu'ils soient constamment entourés d'une multitude de cultures et de croyances.

Dans ce pays où les temples bouddhistes côtoient les églises, et les hijabs les saris indiens, la Malaisie est une preuve, s'il en fallait une, que les différences ne peuvent que nous rendre meilleurs collectivement.

Je me mets en scène dans ces verdoyantes plantations
de thé sur les hauts plateaux de Cameron, en Malaisie.

DÉPOSER MES SACOCHES

MALAISIE

Je ne me suis jamais réellement habitué aux chaleurs caniculaires et à l'humidité depuis mon arrivée en Asie du Sud-Est. Après avoir affronté des défis physiques grandissants à partir de l'Europe, j'ai eu l'impression, en Asie centrale, de traverser une autre planète. Depuis la Birmanie, j'ai du mal à retrouver cette exaltation ressentie lorsque l'on accomplit quelque chose de grandiose.

Je roule plusieurs heures par jour dans une chaleur étouffante, je mange, je dors, je recommence. Je me suis lentement habitué à une panoplie de difficultés, mais je trouve plus difficile de rouler maintenant que les nouveaux défis s'estompent. Et si mon corps s'est endurci à pédaler des heures durant, je n'avais pas imaginé l'énergie mentale nécessaire pour changer quotidiennement l'endroit où poser mon oreiller.

La Thaïlande, à deux reprises, malgré ses magnifiques plages et ses grands parcs nationaux, m'est apparue trop facile. J'y ai enchaîné les kilomètres sans grande passion. J'ai ensuite apprécié le nord du Laos et du Vietnam pour leurs montagnes. Mais ce n'était rien comparé à la brutale beauté des Alpes ou du Tadjikistan. Et même dans d'aussi beaux paysages, ma capacité d'émerveillement émoussée peinait à m'offrir les euphoriques sentiments d'explorateur que j'éprouvais au début.

Est ensuite venu le Vietnam, où j'ai vécu de merveilleux moments en compagnie de mon père. Mais au prix d'une diluvienne pluie quotidienne qui aura engendré moisissures et odeur nauséabonde dans mon sac de couchage et mes sacoches. Sans oublier la cacophonie ambiante, si omniprésente que, juste d'y penser, je me sens en colère.

Malgré un mois complet de repos, il n'aura fallu que quelques jours sur la route pour que je ressente à nouveau de la lassitude. Dans le sud du Laos, puis au Cambodge et à nouveau en Thaïlande, je me suis moins mêlé aux gens. Un peu fatigué de répéter constamment les mêmes réponses aux mêmes questions: d'où viens-tu, où vas-tu, es-tu marié... ?

J'ai aussi plus souvent délaissé ma tente. La perspective d'une douche, même froide, était beaucoup plus attrayante que de suer toute la nuit sous ma moustiquaire.

Je n'avais pas non plus imaginé le manque que je ressentirais de ne pouvoir jouer de la musique. J'ai réussi à mettre la main sur un ukulélé ou un piano de temps à autre, mais à jouer si peu souvent, je voyais avec tristesse mes aptitudes diminuer un peu plus chaque fois. En Thaïlande, je me suis acheté une petite guitare pour enfant que j'ai transportée pendant quelques mois. Mais elle sonnait si mal que le plaisir d'en jouer a fini par ne plus dépasser l'inconvénient de la transporter partout.

C'est drôle à dire, mais ce voyage extraordinaire est un peu devenu une routine. Et mentalement, je suis épuisé.

*

Quelques années avant de partir faire ce voyage, j'avais beaucoup essayé, sans succès, de trouver un emploi à l'international. La compétition était féroce et, sans aucune expérience préalable, mes chances s'avéraient presque nulles. Je me suis ainsi dit que mon voyage extraordinaire à vélo pourrait profiter à mon curriculum vitæ.

Et voilà que le souhait semble se réaliser. Un peu avant mon entrée au Cambodge, je reçois un message d'Etienne, directeur régional d'une compagnie française établie en Asie. Le monde est bien petit. Son épouse, Valérie, que j'ai connue à l'école secondaire, lui a parlé de mon périple ainsi que de ma formation et de mon expérience de travail. Après une simple conversation à distance, Etienne me propose un emploi à Kuala Lumpur, en Malaisie. Un mélange entre le domaine juridique et les ressources humaines, ce qui ressemble étrangement à ce que je faisais dans mon patelin avant de partir.

La proposition est subite et inattendue. Mais, après mûre réflexion, je pense qu'il est inconcevable de passer à côté. Surtout que mon futur patron me laisse le temps de terminer mon voyage à vélo.

Deux mois après notre conversation, l'idée d'arrêter temporairement a fait son chemin dans mon esprit. J'arrive prêt, mais quand même triste, dans l'intense circulation de Kuala Lumpur.

L'immense regroupement urbain n'est qu'échangeurs, viaducs, gratte-ciel et construction. La ville a assurément été pensée pour l'automobile. Bien que la circulation soit dense et que je sois à vélo sur l'autoroute à l'heure de pointe, les gens sont courtois et font attention à moi. J'analyse tous ces détails plus intensément que d'habitude, sachant que la ville devra m'adopter durant la prochaine année.

J'abandonne la circulation pour me diriger vers le dernier hôtel de mon voyage. Je veux me garder une quinzaine de kilomètres à parcourir pour la dernière journée de cette fantastique expédition. Je sais que mettre mon tour du monde sur pause est la bonne décision. Je n'en suis pas moins chaviré d'émotions.

Lorsque je reprends la route le lendemain matin, j'ai presque les larmes aux yeux en enjambant une dernière fois mon vélo chargé de bagages et de souvenirs. Je pédale encore plus lentement qu'à mon habitude jusqu'à l'hôtel fixé comme point d'arrivée. J'arrête mon regard sur le plus de détails possible. Chaque point de vue me rappelle mes aventures et mes rencontres. Je regarde les arbres, les restaurants à ciel ouvert, les gens qui me saluent. Je profite de chaque instant. Je repense à toutes ces nuits sous la tente, à tous ces repas en bordure de la route, à tous ces étrangers qui sont devenus des amis.

Etienne, Valérie et leurs deux jeunes enfants m'attendent devant l'hôtel.

Les deux bouts de chou tiennent un ruban rouge en guise de ligne d'arrivée. Je la traverse sous les applaudissements de mon petit comité d'accueil. Quelle étrange finale ! J'avais planifié partir une année et revenir dans mon village ontarien, joliment appelé L'Orignal. Mais j'ai décidé de continuer. Puis, au moment où j'en avais le plus besoin, j'ai reçu une merveilleuse proposition. Et me voilà en train de franchir une ligne d'arrivée dans une ville asiatique dont je ne connaissais presque rien il y a quelque temps.

Toujours habillé de mes vêtements de vélo, je suis invité au restaurant d'un hôtel cinq étoiles. Les charmants serveurs malaisiens nous apportent une bouteille de champagne et un gâteau pour célébrer mon arrivée. Je suis complètement décalé dans ce somptueux décor. Les employés sont tout de blanc vêtus, mon comité d'accueil est tiré à quatre épingles, tandis que j'ai encore sur le dos mon vieux chandail que je n'ai pas lavé depuis une dizaine de jours. Le même que j'ai rescapé des policiers vietnamiens.

Une chambre a été réservée pour moi dans cet hôtel jusqu'à ce que je me trouve un appartement. Les grandes fenêtres offrent une magnifique vue sur le centre-ville et les immenses tours Petronas – les plus hautes du monde de 1998 à 2004. Tout est magnifiquement propre, et le lit doit être trois fois plus large que ma tente.

Mon patron m'envoie un texto: «Est-ce que la chambre te va?» me demande-t-il, bienveillant. «J'ai un matelas, de l'eau chaude et il n'y a pas de coquerelles... Oui, tout est parfait!»

Je dépose mes sacoches, m'assois sur le lit et expire longuement.

Une nouvelle vie va bientôt commencer. Plus normale, certes, mais tout aussi remplie de nouveaux défis quotidiens. Dorénavant, j'apprécierai sans doute davantage les délices du confort... jusqu'à ce que l'appel de l'aventure m'embrase à nouveau.

À voir ces deux Malais si souriants, je suis convaincu que j'y ferai la rencontre de «bon monde» ici aussi!

L'impressionnant paysage urbain de Kuala Lumpur est dominé par les 88 étages des tours jumelles Petronas. Cette hauteur en faisait les plus hauts gratte-ciel du monde de 1998 à 2004.

ÉPILOGUE

Je rêvais d'une aventure extraordinaire. Je l'ai eue!

Dans mon appartement urbain tout blanc à Kuala Lumpur, j'ai enfin le temps de réfléchir à tout ce que j'ai vécu durant ces 14 mois de pérégrinations.

Ma mère a accompagné mes pensées tout au long de ma route. Dans les cols, elle m'a poussé, et dans la bonté de nombreux samaritains, je l'ai retrouvée. Parfois, je me disais pourtant qu'il valait mieux qu'elle ne sache pas réellement dans quelles situations je me trouvais. Elle se serait bien trop inquiétée! Reste que j'aimerais pouvoir lui raconter tout ce que j'ai vécu...

Cette odyssée que je viens de terminer me paraît bien longue lorsque je la considère dans son ensemble. Puis je pense, en souriant, au questionnement naïf de mon camarade allemand Freddy alors que nous roulions en Birmanie: «Je ne comprends pas pourquoi les gens sont impressionnés! Tout ce qu'on fait, c'est dormir, pédaler, manger et recommencer!»

Il n'avait pas tort. C'est ce que j'ai fait plus de 400 fois. En séparant ainsi chaque journée, le périple prend des proportions bien plus modestes, humaines, normales. Comme c'est le cas pour tous les autres cyclistes rencontrés sur mon parcours.

Ces aventuriers sont tous des gens bien ordinaires. Ils sont jeunes ou plus âgés – j'ai croisé un homme de 68 ans traversant seul la route du Pamir! –, ils sont complètement sans le sou sur de vieux vélos raboutés ou ont les moyens de rouler sur de rapides bolides en titane. J'ai fait la connaissance de couples, de femmes et d'hommes seuls, d'amis. J'ai même rencontré en Asie centrale une famille avec trois jeunes enfants. Le père trimballait deux des enfants et une sacoche de jouets sur son tandem, en plus de tirer une remorque. Impressionnant!

À l'exception de ce père, les personnes croisées en chemin étaient le plus souvent comme moi: loin d'être des athlètes. Qu'ont-ils tous en commun? Ils ont eu l'audace de se lancer dans le vide.

La décision de quitter son confort et tout ce qui est familier n'est facile pour personne. Elle ne l'a certainement pas été pour moi; j'ai pensé à mon projet pendant des années avant de me décider. Elle ne l'a pas été non plus pour Yves, ce Français rencontré en Bosnie-Herzégovine qui a passé la moitié de sa vie en selle. Chaque cycliste, chaque marcheur, chaque aventurier avec qui j'ai discuté porte en lui sa propre histoire.

Une histoire qui ressemble bien souvent à la mienne. S'il n'y a jamais de moment idéal pour partir, celui-ci peut néanmoins se préparer. Certes, on voudra toujours mettre plus d'argent de côté, prendre davantage de temps pour s'organiser ou se mettre plus en forme. Mais le plus difficile, c'est de faire le premier pas vers le changement.

Et vivre avec un sentiment d'incertitude n'est jamais facile non plus. Ainsi, la décision d'arrêter de pédaler a joué sur mes émotions. Si je cesse de rouler, serai-je encore un aventurier ? Est-ce que mon voyage à vélo est ce qui me définit désormais ? Et m'habituerai-je au confort du quotidien, au point de ne plus vouloir repartir ?

Pourtant, ma dernière grande décision, celle de partir à vélo pendant des mois, m'a comblé au-delà de mes attentes. J'avais cette envie irrésistible de voir le monde autrement tout en prenant mon temps. Après avoir pédalé presque 18 000 km dans 27 pays, je crois certainement avoir atteint mon objectif.

Tout au long de cet itinéraire, j'ai été émerveillé. Par la joie des enfants rencontrés, par la générosité des gens de toutes les cultures, par le sentiment de sécurité qui se dégageait partout dans le monde. Je me doutais bien, avant de partir, que les gens sur cette planète étaient bons et généreux de nature. Après avoir été accueilli comme un fils ou un frère sur deux continents, j'en ai maintenant la certitude.

J'ai bien sûr été exposé à quelques désagréments, mais considérant les milliers de personnes que j'ai croisées et le nombre de joyeuses invitations que j'ai reçues, la balance penche nettement du côté positif.

Puis, comme une évidence, j'ai constaté que, partout, les humains sont les mêmes. Aucune région ne m'a semblé plus inquiétante qu'une autre. Aucune religion ou culture moins respectueuse. Au contraire, la bienveillance à mon égard a même pris de l'ampleur à mesure que je m'éloignais du monde que l'on dit plus développé.

Peu importe où la vie se déroule, les gens la passent le plus souvent simplement. À travailler, à aimer, à rêver de mariage et du meilleur pour leurs enfants.

C'est bien plus la capacité d'adaptation de l'humain qui m'a surpris et impressionné. Je me suis demandé à tant d'endroits comment il était possible de vivre dans de telles conditions. Du désert aux rizières en passant par les hautes cimes, des jungles tropicales remplies d'insectes à celles urbaines remplies de déchets, l'hospitalité du territoire est loin d'être équitable pour tous. Le hasard de la naissance nous place quelque part, et décider de voir autre chose est pour beaucoup un luxe inaccessible.

À travers ces pays aux conditions climatiques difficiles, j'ai vu des démocraties déficientes, des maisons sans eau ni électricité, des enfants travailler. J'ai vu assez pour me sentir coupable de ma chance d'être né « au bon endroit ». Égoïste de voyager pour le plaisir. Et mal à l'aise devant le traitement de faveur que l'on m'offrait, quoique inconsciemment, en raison de la couleur de ma peau et de mon passeport canadien.

D'une frontière à l'autre, je me disais que celles-ci aussi étaient bien aléatoires et injustes. Qu'elles suivent la topographie – ici une rivière, là les cimes et les cols – ou les traités historiques, elles m'ont davantage paru séparer que protéger leurs habitants. Et propager la croyance qu'il existe un « nous » et un « eux », peu importe où l'on se trouve. J'ai constaté en ex-Yougoslavie, et particulièrement à Sarajevo, ce qui peut arriver lorsque différentes ethnies refusent de vivre sous un même gouvernement. J'ai vu des familles séparées par les lignes nationales renforcées depuis la chute de l'Union soviétique.

En cette époque de murs, réels ou psychologiques, je me demande sincèrement si la véritable égalité entre les humains ne passera pas, un jour lointain, par l'abolition de ce concept inventé que sont les frontières. La première étape de cette utopie serait sans doute de laisser tomber ses barrières intérieures et d'accepter les différences.

J'ai d'ailleurs senti mon propre horizon mental s'élargir pendant que j'avançais dans ces vastes paysages. J'ai gagné en confiance, perdu en stress. Le voyage m'a fait comprendre que certaines choses se contrôlent et d'autres pas. J'ai fait quelques pas le long de cette lente progression qui mène de la naïveté à la sagesse.

En transportant ma vie dans quelques sacs, j'ai appris à mieux apprécier le peu que je possédais. On n'a pas besoin de beaucoup pour être heureux.

Si certains pays se sont avérés des coups de cœur, je tire une plus grande appréciation encore de la diversité des cultures... et des cuisines. Entre mes repas simples préparés accroupi à côté de ma tente, j'ai profité des spécialités locales : les *khatchapouris* géorgiens, les samoussas ouzbeks, les phos vietnamiens...

En repensant à tout cela, j'ai l'impression que chaque mois de voyage contient quelques années de souvenirs.

*

De ma fenêtre à Kuala Lumpur, j'observe la bourdonnante ville malaisienne. Et je rêve à nouveau de grandes aventures.

Je suis parti en me disant que si je ne réalisais pas mon rêve cycliste maintenant, il ne s'accomplirait peut-être jamais.

J'ai roulé, appris, grandi. Puis j'ai décidé d'embrasser à nouveau l'incertitude en me posant en Asie du Sud-Est. J'ai profité d'une vie plus stable et plus confortable. Chaque douche et chaque nuit sur un vrai matelas est un pur bonheur que je sais mieux apprécier.

Mais ce confort ne m'est pas nécessaire. Loin de calmer ma soif de découverte, mon périple n'a fait que la confirmer et l'amplifier.

La route m'a appris à regarder devant moi. Je laisse mon esprit vagabonder alors qu'il s'élance dans de nouveaux plans, de nouveaux itinéraires. J'ai cette citation de Jack Kerouac qui me trotte dans la tête : « Parce qu'à la fin, vous ne vous souviendrez pas du temps passé au bureau ou à tondre votre pelouse. Escaladez cette foutue montagne. »

Une carte de l'Asie est affichée au mur de mon bureau. Je me lève pour la regarder de plus près. Je suis arrivé à Kuala Lumpur par le nord. Et si je quittais la ville par le sud, jusqu'où pourrais-je me rendre ? La question n'en est plus une. Je connais maintenant bien la réponse.

J'ai déjà roulé jusqu'à l'autre bout du monde, la suite semble évidente. Irrésistible même.

Revenir par l'autre côté.

REMERCIEMENTS

Tant de gens ont rendu cette aventure possible et magnifique. Je tiens à les remercier chaleureusement.

D'abord, merci à mon père, André, qui m'a soutenu et encouragé dès l'ébauche du projet. Il en a même fait partie durant un mois. Ensuite, à mon frère, Sacha, qui a égayé mon périple par sa présence, mais aussi à distance. Et à mon ami Mathieu, qui a lui aussi joint ses roues aux miennes dans « ces pays-là ».

À ceux aussi qui ont partagé mon histoire et ma joie : Denis Babin à Radio-Canada, Patrick Lagacé au journal *La Presse,* Alain Gravel et ses collaborateurs à ICI Radio-Canada Première, et tant d'autres passionnés, qu'ils soient journalistes, recherchistes, animateurs ou blogueurs.

À l'équipe de Vélo Québec, qui m'a épaulé sans même jamais m'avoir rencontré : Suzanne Lareau, Jacques Sennéchael, Germaine Salois, Diane Grégoire et Maxime Girard.

Pour mon équipement, à Denis Charlebois, du magasin Sports Experts à Hawkesbury, et à Nicolas Mithieux, d'Endorphine Canada, qui m'ont apporté leur aide.

À vous tous qui avez suivi mes pérégrinations au quotidien dans mon blogue et qui m'avez tant encouragé.

Sur la route, à ces innombrables bons samaritains qui m'ont accueilli chez eux, qui m'ont offert une place à leur table et qui ont ouvert leur cœur au gars sale de passage devant leur maison.

Et pour boucler la boucle, à ma mère, qui indirectement m'a insufflé le courage de réaliser mon rêve et m'a suivi pas à pas dans toutes mes péripéties, que ce soit face au vent des montagnes tadjikes, sous les éclairs d'un orage cambodgien, dans les jeux de lumière du ciel birman ou kazakh. Je l'ai, maintenant, mon morceau d'Italie.